COLLECTION
FOLIO DOCUMENTS

Samira Bellil

Dans l'enfer des tournantes

*avec le soutien et la collaboration
de Josée Stoquart*

Postface inédite de l'auteur
*Édition révisée
par Guy Birenbaum*

Denoël

Cet ouvrage a été précédemment publié dans la collection
Impacts aux Éditions Denoël.

À mes frangines de galère pour qu'elles sachent qu'on peut s'en sortir. C'est long et difficile, mais c'est possible.
À ma famille.
À mes sœurs Mejda et Assïa : « Je vous aime. »
Papa Jean, maman Josette, Toon, Vinaye et Vimala, merci pour le bonheur appris auprès de vous.

Infiniment merci aux trois personnes qui m'ont aidée à renaître : à Fanny, pour m'avoir sortie de mon enfer et m'avoir aidée à devenir une vraie personne ; à Josée, pour son regard sur moi et son chaleureux soutien tout au long du livre et qui, avec une finesse talentueuse, a su polir mon texte tout en le respectant ; à mon avocat, pour avoir tenté et réussi pour moi « l'impossible ». Merci pour ces cadeaux magnifiques.

Merci à Boris Cyrulnik, pour son Merveilleux malheur, *qui m'a donné beaucoup d'espoir.*

Spécial remerciements à : Insaf alias la Girafe et Benoît le dingue : « Votre grande capacité à aimer les autres me surprend tous les jours » ; Teresa et sa famille : « Je t'attends ! » ; Fabiola alias madame Fifi II ; Memed « pour ton amour à toute épreuve ! » ; Franck, Nacim, Fred, David et tous ceux que j'ai rencontrés chez Toi ; Dourdin, mon

7

QG : Malek « Tu sais... »; Totof, Kalhilou, Pishcal; Don Jambone et son p'tit frère enfin devenu grand!, Mektoub et sa famille; Kader; Lydia; Sabrina; Redha; Raquel; Sonia; Marco (Eh oui!), Samuel; Coco; la p'tite souris, D.D.F. et tous les autres. Cyril le beau gosse, Virginie la fille de la night! et Luis de Corch Valley; Jean-Claude mon toubib de la croisière!! Merci pour leur soutien, leur amour et leur moral d'acier.

Et puis, merci à tous ceux qui, un jour, m'ont souri et tendu la main, quand j'en avais tant besoin.

RÉPUTATION : nom féminin, manière dont quelqu'un, quelque chose est considéré.

Dictionnaire encyclopédique Larousse

RÉPUTATION : statut attribué à une personne par un bouche à oreille fulgurant, cette image indissociable de l'être qui, dans tous les cas, brise des vies ; que tu sois un bandit, un bouffon ou une « taspé des caves ».

Dictionnaire du quartier

Préface

On assiste, depuis les années 80, à la montée en puissance du phénomène de bande, avec une idéalisation de la figure du petit caïd pour lequel le nombre de viols en réunion, les « plans pétasse », comme il les nomme, est un titre de gloire. Le film *La Squale* a mis à l'écran et révélé au public la pratique de la « tournante », au cours de laquelle un garçon fait « tourner » sa petite copine.

Ce livre est un livre coup de poing. Il nous jette à la figure ce phénomène de société qu'est, dans certaines cités proches de nos grandes villes, la violence sexuelle instituée et banalisée. La sexualité aujourd'hui s'y résume, bien souvent, à des rapports de force et de domination. La loi qui y règne est celle du plus fort contre le plus faible : la loi de la jungle.

Ce livre lève le voile sur la condition insupportable de certaines jeunes filles qui y vivent, tiraillées entre deux servitudes : obéir en restant enfermées à la maison ou risquer, dans la rue, de devenir la proie des bandes et de leur sauvagerie sexuelle.

Samira est une rescapée. Elle a été victime de deux viols collectifs à quatorze ans, puis d'un troisième à dix-sept ans. Elle a vécu une adolescence ravagée, tenaillée par la honte, la culpabilité, le rejet de tous et la peur d'autres agressions. Écrasée de souffrance, d'incompréhension et de solitude, elle n'a pu réagir que par la violence et les délits, les galères et les fugues. Elle s'est progressivement détruite jusqu'à devenir un petit animal sauvage, une charge de dynamite.

En 1998, la police a arrêté 994 mineurs accusés de viols collectifs sur mineures. Selon l'Enquête nationale sur les violences envers les femmes, seuls cinq pour cent des viols commis sur les femmes majeures feraient l'objet de plaintes. On ne connaît pas les statistiques en ce qui concerne les filles mineures, mais on sait que très peu osent porter plainte. La honte et la peur des représailles les poussent à garder le silence. C'est pour cette raison que la justice commence seulement à être saisie de crimes de ce type. Bien des responsables continuent de se voiler la face, affirmant que ce sont des phénomènes isolés et que la misère sexuelle se trouve partout.

Il semble que dans ces quartiers que l'on dit pudiquement « sensibles », où la majorité des familles est issue de l'immigration, il soit difficile de donner sa place à la femme. Certains jeunes sont pris dans une contradiction entre le rigorisme de leurs origines culturelles (intégrisme religieux, intouchabilité de la femme, polygamie...) et un environnement culturel très fortement érotisé. Le flirt est proscrit, l'amitié fille-garçon aussi, et la tension sexuelle est exacerbée. La seule éducation sexuelle que reçoivent ces jeunes est celle des films pornographiques, ils n'ont aucune autre image de la relation amoureuse. Ces adolescents n'ont plus aucun repère et ils n'ont pas conscience de la gravité de leurs actes. Pour eux, la « tournante » est un jeu et les filles, des objets.

Les jeunes filles abusées deviennent aux yeux des garçons et de toute la cité des « filles à cave » sur lesquelles tout est permis. La violence qui est faite aux filles n'est pas que physique. En plus du traumatisme du viol, elles ont à affronter la violence morale qu'est une réputation brisée, la honte, l'humiliation et la peur des représailles si elles osent porter plainte.

C'est cet enfer que Samira a vécu mais, alors que tant d'autres ont sombré dans la drogue, la prostitution ou la folie, elle a réussi un rétablissement exemplaire et est à vingt-neuf ans une jeune femme pleine de vie et de promesses.

C'est cette histoire qu'il nous importe de raconter, ce renversement de vapeur, cette métamorphose, ce passage des ténèbres à la lumière. C'est cet espoir que Samira veut faire renaître chez celles qui, comme elle, ont vu leur enfance saccagée, leur avenir anéanti. C'est surtout pour elles qu'elle écrit, pour leur dire que tout, toujours, est possible. Boris Cyrulnik, dans *Un merveilleux malheur,* s'émerveille de la capacité qu'ont certains êtres de triompher de malheurs immenses et de se faire une vie d'homme ou de femme, malgré tout. Il nomme cette capacité, la capacité de résilience.

« Un coup du sort est une blessure qui s'inscrit dans notre histoire, ce n'est pas un destin. » Voilà qui nous change des discours déterministes auxquels nous avons été habitués. On peut s'interroger sur ce qui a donné à Samira le ressort pour s'en sortir, quand tant d'autres de ses compagnes d'infortune ont été totalement détruites. Samira avait deux atouts de départ : une nature particulièrement combative, héritage de sa mère, et la stabilité affective dont elle a bénéficié dans sa famille d'adoption, durant les quatre premières années de sa vie.

Elle n'a jamais perdu espoir. Elle n'a jamais cessé de vouloir s'en sortir, de rebondir après ses échecs à répétition, mais, c'était comme si son passé la rattrapait inexorablement et qu'elle continuait de payer pour avoir été victime.

C'est Fanny, la psychologue qui la reçoit depuis cinq ans, qui l'a aidée, patiemment et intelligemment, à sortir du tunnel et à poser les fondations de sa reconstruction. C'est grâce à ce travail thérapeutique que Samira est devenue capable d'accéder au livre et que nous nous sommes rencontrées.

L'écriture du livre a été le deuxième stade de sa délivrance. J'aurais pu choisir d'interviewer Samira et d'écrire moi-même son histoire. J'ai préféré la laisser écrire. D'abord parce qu'elle a un mode d'expression intense et imagé, ensuite et surtout parce qu'elle a déjà un lieu de parole et qu'écrire est un autre travail sur soi. C'est un travail personnel d'introspection et de précision. Écrire avec l'objectif d'être lue, par moi à la séance suivante puis plus tard par un lecteur éventuel, l'a obligée à garder une certaine rigueur et à ne pas « se lâcher » dans une expression spontanée. Le livre ne devait pas être un prolongement de sa thérapie. J'ai tâché, par mes confrontations, d'amener Samira à plus de concision et de cohérence. En collaborant à l'écriture pour la rendre plus accessible, j'espère avoir respecté au plus près la couleur du récit et la personnalité de Samira.

J'ai donc accepté de soutenir Samira dans l'écriture de son livre et je ne l'ai pas regretté. J'ai été touchée en plein cœur par sa rage de s'en sortir et par la cruauté de son histoire. J'ai ri aux larmes quand cette petite bonne femme pleine de pep me mimait son monde, avec son vocabulaire désopilant et son humour corrosif.

Samira, la petite beurette, a partagé ma vie, occupé ma pensée et aussi un peu celle de ma famille et de mes amis. J'ai été partie prenante à cent pour cent dans cette aventure commune. C'est une grande chance que de participer à la libération d'un être.

Nous nous sommes rencontrées deux ou trois heures par semaine, pendant un an. Dans les premiers temps de notre travail commun, Samira était encore pleine de son passé, ulcérée, souffrante. Ses souvenirs et leur compréhension étaient confus. Elle collait à son vécu et se vivait encore comme une coupable méritant ce qu'elle avait enduré. Elle n'avait pas les mots pour dire les émotions liées à ses traumatismes. Pourtant son corps réagissait et souffrait au fur et à mesure des remontées de souvenirs.

Lorsque les violences de son histoire furent extirpées de sa mémoire, imprimées, lues et relues, elle commença à se distancier de son passé et à se pacifier. Tout était dit, hurlé, pleuré. Tout était réfléchi, compris, intégré. Elle avait remis à leur juste place tous les morceaux de sa vie. Tout était trié, rangé, consigné. Il y avait enfin de la place pour autre chose.

Aujourd'hui, Samira ne se définit plus comme « Samira, violée » mais comme une Samira qui sait ne plus parler de son passé, une Samira à naître, à vivre.

JOSÉE STOQUART

1

Jaïd et K.

« Merci mesdemoiselles, au revoir. »

Le vendeur à la grosse moustache n'a rien vu. Il n'a pas vu que notre chèque est trafiqué, il n'a pas vu la peur dans nos yeux. Il n'a rien vu. Terrible !

Ma copine Sofia et moi, nous rêvions de ces Weston à 1 450 balles ! Alors, on a toutes les deux chouré un chèque à nos mères et calqué leur signature avec du papier carbone.

C'est qu'on voulait jouer dans la cour des grands, nous deux, être de celles qui portent des Weston ! J'ai choisi des golfs acajou et Sofia des basses noires. Pour claquer, ça claquait, je vous jure !

Nous ressortons du magasin en portant le grand sac à inscription dorée avec nos vieilles pompes à l'intérieur, on est pleine de flambe !

Puis nous nous séparons à Gare-du-Nord. Dans le train qui m'emmène à Garges, je louche sur mes pompes, je ne les lâche pas du regard, elles sont terribles !

Arrivée à Garges, je vais voir Rachida et les autres, histoire de me pavaner avec mes chaussures à 1 450 balles. J'ai comme un coussin d'air sous les pieds. Je me la pète !

Vers minuit, après être restée un petit moment avec mes copines, je me décide à rentrer chez moi. J'ai pris l'habitude, pour rentrer, de passer par un quartier qui s'appelle la Cité bleue et d'y voir la clique à la barrière. Toujours là, la clique ! Qu'il pleuve, qu'il neige, qu'il vente. Ce soir, il y a Bouboule, Poisscaille, Salim la Crevette, Karim le Fou et Gros Blaze : les bouffons du « roi Jaïd ».

Jaïd, c'est le chaud du quartier, celui qu'il faut respecter, craindre, celui dont les moindres désirs sont des ordres. Et pourtant, je n'ai pas peur de ces types, je les vois gentils. Moi, ce que je prends pour de l'amitié n'est que du vice ; ce que je prends pour du respect n'est que de l'hypocrisie, car je ne suis que la meuf à Jaïd. Mais ce soir, je ne le sais pas encore.

J'avais treize ans lorsque j'ai rencontré Jaïd à la Cité bleue. C'était l'été, les vacances et je n'avais pas le droit de sortir : je venais de me faire virer de Saint-Rosaire, un collège privé catholique, après deux autres renvois de collèges différents, mes parents pensaient qu'il fallait me serrer la vis. Effectivement, cela m'a calmée un petit peu, seulement au niveau des fréquentations, des « fils à papa » qui avaient déteint un peu sur moi : je ne sortais plus, je ne volais plus, je ne séchais plus, mais je ne travaillais pas mieux, j'étais complètement à l'Ouest depuis longtemps ! L'école ne me parlait pas et eux non plus. Alors mes parents ont décidé de me punir en m'interdisant de sortir pendant les vacances. Pas question pour moi de regarder durant tout l'été les rayons du soleil briller au travers de la fenêtre de ma chambre ! Dès que j'en avais la possibilité, je me sauvais parfois une heure, trois ou quatre jours, ou plus, cela dépendait. Je rentrais pour me laver, me changer, dormir, manger un peu et me prendre une rouste, puis je repartais de plus belle. Après mon séjour chez les catholiques, j'avais renoué avec mes anciennes connaissances et repris mes habitudes : traîner ma gueule avec mes copines.

Cet été-là, j'étais venue plusieurs fois dans le quartier de Jaïd et il commençait à me trouver intéressante... J'étais nouvelle et à ce titre j'avais droit au cinéma de toute la bande, c'était à celui qui allait me « pécho ». C'est Jaïd qui m'a eue.

J'avais treize ans. Il en avait dix-neuf... Jaïd était le canon du quartier, brun, cheveux rasés, aux yeux d'un noir si intense que ça aurait dû me faire peur. Un corps à la Bruce Lee grâce à la boxe thaïlandaise, qui lui permettait également de déglinguer pas mal de têtes autour de lui. Au fur et à mesure de notre relation, je me suis rendu compte qu'il était craint et respecté, qu'il avait de l'influence sur toute la bande et le quartier. Tout cela m'impressionnait énormément à l'époque. Et tout cela me ferait fuir maintenant.

Je suis tombée à fond dans ses filets, dans la toile qu'il avait tissée autour de moi. Je me suis laissé griser par ses paroles et sa belle gueule. À treize ans, on croit au coup de foudre, on croit à l'amour. C'est l'âge où on se fait des films terribles dans la tête ! Je vivais dans ma bulle, mes rêves, et cette même bulle me protégeait des raclées reçues. Seul Jaïd comptait à mes yeux. Je cherchais désespérément dans ses bras l'amour que je n'avais pas chez moi.

C'est à partir de onze ans que les ennuis ont commencé. Avant d'être cette enfant rebelle, j'étais une petite fille attirée par le monde artistique. J'avais commencé par étudier le solfège au conservatoire pour apprendre le piano plus tard. Je faisais de la danse classique et du modern-jazz. Je m'intéressais aussi à la peinture et au théâtre. J'étais peut-être une future artiste en herbe, mais pas encore un petit bandit. C'est sûr !

Dans la rue, je suis devenue ce que l'on appelle une petite « caillera ». J'ai commencé à me comporter comme un lascar, à jouer les embrouilleuses à deux francs cinquante avec n'importe qui, à aller à Euromarché voler des Granola et des chaussettes Burlington — la grande mode à l'époque! En somme, j'étais toujours à l'affût d'une connerie à faire.

Avant Jaïd, je sortais avec les garçons pour faire bien, pour faire la grande, pour dire que j'étais sortie avec un mec. Le truc con. Mais je n'étais pas amoureuse. Avec Jaïd, c'était différent. Pour moi, c'était sérieux. Je me sentais heureuse d'être regardée, sollicitée, « aimée ». Je me croyais irrésistible à ses yeux et respectée par les autres. Les « amis » engrainaient l'histoire et moi, je me gonflais d'orgueil. À treize ans, être blonde ou brune importe peu pour les garçons, l'essentiel est d'avoir un « joli p'tit cul ».

Jaïd! Je fondais comme un glaçon devant lui. C'était trop beau pour moi. Un grand du quartier, si beau, si respecté, qui s'intéresse à une gamine de mon âge, je n'y croyais pas. Il avait une copine pourtant, mais ça ne l'a pas empêché de me faire du « blabla » et le coup du « J'te pécho devant ma copine »! Aujourd'hui, je m'en veux. Je me dis que si j'avais été moins jeune, amoureuse et plus lucide, tout cela aurait dû me réveiller. Mais j'étais déjà anesthésiée par la vie et j'étais trop en manque d'affection pour pouvoir m'apercevoir de quoi que ce soit. Il jouait au gentil avec moi, et moi gougoune, je kiffais! Je croyais au coup de foudre, style : « Il a tout plaqué dès qu'il m'a vue, même sa greluche! » Dans le quartier, j'étais donc devenue la « meuf à

Jaïd ». Comme il y a le baron de Trucmuche, j'étais la meuf à Jaïd, et ce nom à particule changeait ma vie. On me considérait, on me respectait, je me sentais importante. En fait, tous ces attributs, il faut bien l'avouer, faisaient que je me la pétais grave.

Jaïd avait été attiré par mes yeux d'abord, ensuite par le fait que je n'avais pas encore le « vice des cités ». C'est vrai, même si je faisais des petites conneries, le « vice d'épicier » ne m'habitait pas encore. Je sortais de mon école de catholiques, je n'habitais pas la cité mais une petite résidence privée et cela suffisait pour me coller une étiquette de « p'tite bourge ». J'ai beaucoup changé à ses côtés, je me suis endurcie, mais il ne me poussait pas à faire des conneries, j'en faisais déjà avant lui et j'en faisais aussi sans lui. Je voulais surtout l'impressionner, être comme lui : une dure considérée, crainte et respectée. Une petite kamikaze qui se fout de tout, qui n'a peur de rien. C'est à travers lui que j'ai dû me bagarrer contre les préjugés et les tabous complètement dépassés de la tradition et affronter en permanence des esprits tordus. J'étais prise entre deux feux. Tout se bousculait dans ma tête et je ne savais plus où était la vérité. Je me sentais tiraillée entre les obligations arbitraires de mon milieu et mes rêves de liberté. Je voulais être libre, ne pas vivre soumise, ni enfermée à la maison, comme celles que je voyais autour de moi. Je voulais la même liberté qu'un mec : respirer, croquer la vie, quoi de plus naturel ?

Je ne me rendais pas compte que notre relation était bizarre. Je ne comprenais pas que j'étais sa meuf sans vraiment l'être. Notre liaison consistait à se voir de temps en temps. Il m'emmenait soit dans un coin, soit chez lui pour tirer son coup. J'étais une marionnette entre ses mains, je me laissais faire, j'acceptais au nom de l'amour dont personne ne m'a jamais appris la définition.

Mes sentiments pour lui ne l'ont pas empêché de me salir, de m'humilier, de casser mes espoirs et mes illusions. Il n'a rien fait pour me mettre en garde alors qu'il me voyait changer, m'abîmer, me détruire à vue d'œil. Il n'a rien dit, il a préféré m'utiliser, me souiller quand il voulait, où il voulait, c'était pratique ! Ma vie qui se déglinguait, il s'en tapait.

Progressivement, on n'a plus eu de respect pour moi. Une petite réputation sulfureuse me suivait grâce à Jaïd, qui racontait derrière mon dos à la clique le détail de nos « étreintes ». Il me trahissait sans vergogne et moi, je continuais à l'aimer, pauvre gougoune, sans me rendre compte de sa fausseté et de tout ce qui se disait sur moi. Chacun savait dans la clique que lorsque j'arrivais, j'allais passer à la casserole. Sans doute se disaient-ils : « Pourquoi pas moi ? »

À partir du moment où j'ai rencontré Jaïd, j'ai quand même terriblement changé. Pour les éducateurs, les assistantes sociales et mes parents, je suis passée en un an et demi d'une enfant difficile à une enfant irrécupérable. Le temps de ma relation avec Jaïd.

Bon, maintenant que le décor est planté, je reviens à ce fameux jour où je suis arrivée devant la bande avec mes Weston chourées.

Je marche avec mes Weston aux pieds : « Putain, elles sont trop terribles ! » Après toutes ces fugues, cela fait assez longtemps que je ne suis pas rentrée chez moi. Ce soir, je me dis qu'il ne faut pas abuser, que je rentre, un peu à contre-cœur, un peu trop tard, mais je rentre.

Toute la clique est là avec Jaïd, ils sont à la barrière. Tout le monde kiffe sur mes pompes, Jaïd aussi. Il m'adresse la parole, et je ne vois plus que lui.

« Ça va ?

— Ça va.

— T'as une cigarette ? » Je lui en tends une.

« Bien, les Weston !

— Merci.

— Tu viens ? »

Avec ces deux mots d'un banal pathétique, je suis aux anges. Ah, je n'étais pas exigeante ! Pas la moindre affection, pas la moindre tendresse ! Il me traitait comme un chien, et je nageais dans le bonheur.

Il me dit de venir, je le suis, comme envoûtée. Il m'entraîne dans sa cave. C'était une cave aménagée avec un canapé, qui sentait l'essence et le moisi. J'ai appris plus tard que j'étais loin d'être la seule qu'il attirait ici.

« Elles sont méchantes tes Weston, petite taille, en plus, ça fait stylé ! »

J'avais un peu peur qu'il me les vole pour les revendre, mais un mec ne fait pas cela à sa meuf ! J'étais loin de me rendre compte que ce qu'il me faisait était mille fois pire...

Il m'attire à lui. Il m'embrasse. Je kiffe à mort : les pompes d'abord, puis Jaïd qui est là. Quelle belle journée ! Après m'avoir fait « l'amour », après s'être soulagé plutôt, il me laisse repartir.

Je suis tellement triste, aujourd'hui, d'avoir eu si peu de lucidité. Je me sens salie et honteuse d'avoir accepté une telle misère. Se faire tout bonnement sauter dans une cave sinistre, puant l'essence et la merde, sur un canapé pourri avec un vrai fils de pute. C'était lamentable, c'était sordide. Et moi, pauvre abrutie, je me croyais aimée et je nageais dans le bonheur.

Quand je sors de la cave, la clique est toujours à la barrière. Il y en a un qui m'appelle pour une clope, je m'approche pour la lui donner. Il m'explose à la gueule en me sortant une embrouille qu'il invente pour m'attirer vers eux. Pendant que j'essaie de comprendre ce qu'on me veut, les autres arrivent vers nous. Je ne vois pas Jaïd.

Je me prends une baffe sans comprendre pourquoi. Je sens ma joue qui chauffe. J'essaie de répliquer, mais je n'en ai pas le temps, un coup de pompe dans le dos m'a précipitée à terre. Je ne comprends rien à ce qui m'arrive. Dix minutes plus tôt, nous rigolions ensemble, maintenant je suis face à des bêtes furieuses qui s'acharnent sur moi. J'entends : « Ferme ta gueule ! » pendant que sept ou huit enragés me défoncent la tête, en réclamant leur part. Ils veulent que je leur fasse une petite « gâterie » à chacun. J'ai de plus en plus peur. Je sens que je vais y passer, pourtant j'essaie de tenir autant que je le peux, malgré les coups qui pleuvent de tous les côtés. J'en reçois sur les jambes, sur le dos, sur le ventre, sur le visage. Je m'accroche, je me débats, je me défends de toutes mes forces. Tout à coup, j'entends une voix qui leur dit d'arrêter. C'est Jaïd ? Non, à ma grande surprise, c'est son copain, son meilleur pote : K.

K., c'est une masse, une masse pleine de muscles, une bête sauvage en puissance. Il est immense avec un cou de taureau, des yeux globuleux et d'énormes mains faites pour assommer. On dit que c'est un vrai boucher, un dingue. Il

28

inspire une véritable terreur et tout le monde évite d'avoir affaire à lui. C'est le champion toutes catégories du mal. Il a déjà tué quelqu'un d'un coup de poing et s'en est sorti en arguant la légitime défense. Un jour, je l'ai vu forcer un mec à en frapper un autre, sans raison, en le menaçant de le démolir s'il ne s'exécutait pas. K. avait plusieurs fois essayé de me parler, de rigoler avec moi, mais j'avais si peur de lui que j'esquivais à chaque fois. Après que K. a crié, les coups s'arrêtent enfin, mes agresseurs me lâchent. Je suis sauvée. Le cauchemar est terminé. Pleine de reconnaissance, je remercie K.

C'est alors qu'il me donne un énorme coup de poing. Il me relève par les cheveux, me traîne, puis me fait comprendre d'arrêter de crier et de le suivre. « Barrez-vous », dit-il aux autres. Les autres se dispersent. Plus je crie, plus il me frappe. Complètement sonnée, abasourdie, terrorisée, j'obéis. Nous arrivons vers la nationale, il me tire par mes vêtements pour me forcer à le suivre. Je suis morte de peur, je le supplie de me laisser tranquille, de me laisser rentrer chez moi. Je lui parle, j'essaie de le raisonner. Il est complètement insensible à mes paroles, il ne m'entend même pas. À un moment, je parviens à m'extirper de son emprise, je cours de toutes mes forces. Je suis complètement affolée. J'essaie d'arrêter une voiture. Je crie, je hurle qu'il faut m'aider mais les voitures tracent, sans prêter attention à moi. Excédé par mes hurlements, K. me frappe encore, de toutes ses forces. Je prends des droites dans la figure, qui m'assomment littéralement. Je pleure d'épuisement, d'impuissance, de douleur. Mon visage est inondé de mes larmes et de mon sang. Il n'a aucune pitié pour moi, il continue à me frapper jusqu'à ce que je n'aie plus la force de réagir, jusqu'à ce que je comprenne qu'il n'y a pas d'autre issue pour moi que de le suivre, si je veux garder une chance de rester en vie.

J'obéis donc. Je le suis, flageolante, épuisée par cette lutte inégale et vaine. Tout au long du trajet, il me frappe par rafales, pour entretenir ma peur et ma passivité. Il ne dit pas un mot. Tout en le suivant, j'essaie quand même de chercher une solution pour me sauver. Je sens que je n'en ai plus la force, car mes jambes sont complètement coupées par la terreur.

C'est terrible, la peur. Ça vous fait perdre tous vos moyens, ça vous coupe les jambes et le souffle. C'est comme une paralysie de tout l'être : le corps et l'esprit sont annihilés. Combien de personnes me diront plus tard : « Moi, j'aurais fait cela à ta place... On peut toujours se défendre... Surprendre l'agresseur, lui mettre un coup de pied dans les couilles... », etc. Combien j'en ai entendu de ces petites phrases assassines qui me trouaient de culpabilité, de ces commentaires sans pitié faits par des gens qui n'ont jamais été sous l'emprise de la vraie peur.

Nous finissons par arriver au pied d'un immeuble, puis montons au troisième étage. Nous nous arrêtons devant une porte sombre : j'ai le temps de lire le nom qui y est inscrit. Nous sommes dans un appartement propre, décoré sobrement, dans les tons beiges, avec un grand canapé marron en arc de cercle. Il y a une télévision, une vidéo, le sol est moquetté : c'est simple et plutôt confortable. K. a compris qu'avec les coups qu'il m'a mis dans la figure, je ne vais plus crier, alors il me parle comme si de rien n'était :

« Dis donc, elles sont mortelles, tes pompes... T'as pas la dalle ? Si tu veux manger un morceau ou boire un coup ? Alors, tu t'la donnes avec Jaïd ? »

Je ne comprends rien à son comportement. Je suis dans une panique sans nom. Où veut-il en venir ? Pourquoi me parle-t-il maintenant calmement après m'avoir tabassée il y a quelques minutes ? Je reste pétrifiée, assise sur le canapé. Tout en l'écoutant, je regarde partout. J'essaie de me souvenir de tout. Je me dis : « Regarde, rappelle-toi, on ne sait jamais, si un jour on t'interroge, tu auras peut-être besoin de ces indices... »

Je m'entends répondre à ses questions. Que m'arrive-t-il ? Comment puis-je accepter pareil dialogue ? En fait, je donne le change. J'ai trop peur de recevoir d'autres coups. Mon attitude me donne la sale impression d'être consentante, mais que puis-je faire d'autre, si je ne veux pas mourir ? Des années durant, je me suis torturée avec cette pensée. Je me sentais coupable de cette allure de consentement. Je sais aujourd'hui que je n'avais pas le choix. J'essayais de sauver ma peau.

« Va te laver ! La douche est là ! Et lave-toi à fond en bas ! » me dit-il en me jetant une serviette. Il me regarde pendant que je me lave, pour voir si je fais bien ce qu'il m'a demandé. Je me tais, mais j'ai la rage. Fils de pute, enculé ! Il me prend pour une crasseuse. Moi, mon pote, même en fugue, je me suis toujours débrouillée pour être propre !

Je sors de la douche. Il me dit de venir près de lui. Il se dirige vers le magnétoscope, enclenche une cassette. C'est un film X. « Tu mates et tu fais pareil ! » J'exécute tout ce qu'il me dit de faire. J'ai envie de vomir, mais je me retiens. J'ai peur de prendre encore des coups. Je suis « gentille » pour en finir au plus vite et rentrer.

Alors que j'exécute ses ordres comme un automate, je me réfugie de toutes mes forces dans ma tête. Je la fais travailler à mille à l'heure. Je comprends très vite que c'est le seul endroit qui me reste. Le seul où je peux me sauver. S'il a mon corps, il n'a pas ma tête. Ma tête reste à moi seule.

Alors je pense à mes parents, à mes sœurs qui dorment. Je pense à tout ce qui fait ma vie... Et puis je revois ce nom sur la porte. Je m'y accroche. Je fais venir des images : ma copine Sofia, l'école, les vacances en Belgique, maman Josette, etc. Tout. Plutôt que de sentir ce souffle, cette odeur, cette peau. Il n'est pas question non plus de penser même un seul instant à ce qu'il me fait subir. Je ne veux pas de cette réalité-là, et à force d'habiter ma tête, je parviens à me dissocier de ce que « vit » mon corps. Il n'est plus à moi.

Ça se termine enfin. Je ne saurais pas dire combien de temps tout cela a duré. J'espère pouvoir partir, mais voilà qu'il m'emmène dans une chambre au fond du couloir. Il y a des posters partout et des lumières rouges. Il me dit de me coucher sur le lit et il m'enferme. Allongée dans le noir, j'attends sans savoir ce qui va se passer. Je reste là les yeux ouverts. J'entends mon cœur qui prend toute la place dans ma poitrine et dans la pièce. Je crève de trouille, je crois qu'il va me tuer.

J'entends du bruit. Une porte se ferme. Puis je perçois des murmures. La porte de la chambre s'ouvre : un autre gars entre avec K. Je ne le connais pas. Il est petit, avec beaucoup de cheveux, et bien moins costaud que K. Il ne dit pas un mot. K. est seul à parler. « Tu vas te laisser faire ! Fais pas la conne, hein ? T'as juste à être gentille ! » Et voilà que ça recommence. K. me force à faire des trucs à son pote.

Je n'en peux plus de toutes ces saloperies. Ça me tord les tripes, ça me retourne le ventre et le cœur. Je ferme les yeux très fort. Je fais ce qu'on me dit de faire, comme un automate. Je ne résiste pas, je suis une espèce d'esclave, je suis une merde, une rien du tout entre leurs mains. « Tu m'fais pas bander, sale pute ! » me dit-il, et il me force à y remédier. Il pue, il me dégoûte, j'ai la nausée. Je voudrais les vomir et me vomir moi-même. Mais j'ai peur des coups qui peuvent repleuvoir d'un instant à l'autre, alors je m'exé-cute, labourée de peur et de haine. Je supplie Dieu de venir à mon aide, je le supplie de toutes mes forces, de tout mon désespoir. Ma prière monte de mes entrailles, de mon âme, elle explose de ma tête.

Mais au bout d'un moment, un troisième mec arrive dans la chambre. Celui-là non plus, je ne l'ai jamais vu. Il demande à l'autre de se presser et, tout en matant la scène, il se masturbe. Puis ils veulent me forcer à « faire des trucs » à plusieurs. Je panique, je m'affole, je suis en larmes. Je recommence à hurler, je les supplie de me laisser tranquille. K., qui était sorti, revient alors dans la pièce et demande ce qui se passe. Quand ils lui expliquent, il vire le second : « Tire-toi, t'as assez profité ! » Je me retrouve seule avec le troisième.

Je suis au plus bas... Je me sens moulue, usée, abî-mée, souillée.

Peu à peu, je m'enferme dans un trou noir, un grand vide. Plus rien ne me concerne. C'est comme si mon esprit s'en allait de mon corps. Ce n'est plus moi qui suis là, allongée sur le lit, à sup-porter ces mains, cette peau, ces odeurs, ces souil-lures et cette sauvagerie, c'est juste mon corps, devenu une chose inerte, insensible. Le processus entamé tout à l'heure se poursuit et s'amplifie : j'ai tant fait pour fuir dans mes pensées, pour être absente de ce qui se joue pour moi, que mainte-nant plus rien ne me touche. Je suis coupée de mon corps, je suis anesthésiée. Je suis ailleurs. Mon corps ne m'appartient plus, peut-être est-il mort ? En tout cas, ces pilleurs, ces vautours ne m'auront pas pris mon âme : en elle, je suis réfu-giée, en elle, je vis.

Ils ont profité de moi toute la nuit, lâchant leurs plus bas instincts. J'ai même subi de la part de K. des tortures physiques dont je ne parlerai pas, l'humiliation a des limites. Réveiller ces sou-venirs est une souffrance que j'accepte pour le témoignage. Au petit matin, il ne reste que K. et moi dans l'appartement, les deux autres sont par-tis. Alors K. se transforme de nouveau, je ne le reconnais pas. Il fait comme si de rien n'était, encore : il me prépare un petit déjeuner, il me cire mes Weston. « T'as vu, semble-t-il dire, j'suis pas un fils de pute ! » Et puis, il me laisse m'en aller.

Je sors à l'air, j'ai l'impression de tomber d'une autre planète. Je marche jusqu'à l'arrêt du bus, comme un automate. Je suis là, avec mon pull déchiré et mes Weston qui brillent, misérable. Mes jambes ont du mal à me tenir. « Dépêche-toi le bus ! » Je ne sais même pas la tête que j'ai, j'essaie de lire dans le regard des gens : ils ne voient rien. C'est le petit matin, une nouvelle journée commence pour eux, une journée comme les autres, et moi je suis là. Je sors d'un cauchemar. J'essaie de donner le change, face à eux, genre fille-qui-prend-le-bus-normal-quoi.

Je ravale des torrents de larmes. J'enfouis mes cris au fond de moi. Je sens comme une boule dans mon ventre, une boule de cris, de coups, de gros mots, de larmes. Il y a plein de violence autour de cette boule, prête à péter, à voler en éclats. Mais rien ne se passe. Je suis là, debout, à attendre ce putain de bus. Le chauffeur m'embrouille pour le ticket, je lui hurle de ne pas me péter les couilles.

Où aller ? Est-ce que je rentre chez moi ? J'ai envie de partir loin, très loin, pour que personne ne me retrouve, quelque part où l'on ne me posera pas de questions, un endroit où je serais libre, où je serais bien.

2

Seule

Je décide d'aller chez Sofia, c'est mon amie. Je descends à la mairie. Je regarde l'heure sur la façade, il est six heures du matin. C'est trop tôt pour monter chez elle. J'entre dans son bâtiment et j'attends dans le hall que l'heure passe. Je m'assieds dans l'escalier, mon corps est anesthésié mais pas ma tête. Elle tourne à toute vitesse, elle chauffe, elle bouillonne de questions, de pensées. Rien de cohérent, je suis trop en état de choc. J'ai besoin de parler à quelqu'un.

« Putain, Sofia, lève-toi ! » J'entends les familles se réveiller, aller aux chiottes, faire taire leur chien, les embrouilles du matin, quoi ! Chaque fois que quelqu'un descend l'escalier, je cours me cacher. Je ne veux pas que l'on me voie dans cette galère. Pourquoi ai-je atterri là ? Je ne sais plus. Il faut que je parle à quelqu'un, c'est urgent, sinon ma tête va péter. Je monte, je fais une tentative. J'ai de la chance. Sofia m'ouvre, elle est seule.

« Qu'est-ce qui t'arrive ?

— Il faut que je te parle ! »

Elle me conduit dans sa chambre, je m'installe sur le lit. Je ferme les yeux, je voudrais ne les rouvrir que dans très longtemps. Sofia, c'est une grande bavarde, il faut toujours qu'elle tchatche, alors elle me branche sur mes chaussures : « Alors, tu gazes avec tes golfs ? » Je suis à la limite de craquer, mais c'est plus fort que moi, j'essaie encore de donner le change. Je me lève et regarde par la fenêtre pour lui répondre sans qu'elle voie ma tête. « Ouais, à Garges, elles rageaient ! Rien que de la toise ! Grave ! » Et puis, d'un seul coup, ça sort :

« J'ai vu K.

— Tu mens !? »

Sofia comprend tout de suite ce que cela signifie. Elle connaît la réputation de K. et celle de la clique. « Dis-moi pas ! Il t'a serrée ? Serrée... Serrée ! » Je lui montre mon oreille pleine de sang, l'intérieur de ma bouche fendue, les bleus sur mon corps. Sofia reste silencieuse. Pas longtemps : « Fils de pute ! Fils de pute ! Sa maman la putain ! Il ira pas au paradis ! » Elle est sous le choc et reste silencieuse un moment.

« Qu'est-ce que tu vas faire ?

— Je sais pas.

— Rentre chez toi.

— Je vais me faire déglinguer, Sofia ! Mon père va me flinguer !

— Tu peux rester dormir un p'tit peu, mais tout à l'heure, il faut qu'tu bouges ! »

Je lui raconte tout et je lis l'horreur dans ses yeux. Elle est bouleversée. Elle était loin de penser que cela puisse arriver à l'une de ses amies. Et puis, la veille, elle m'a laissée à Gare-du-Nord, toute heureuse avec mes pompes. Aujourd'hui, elle me retrouve en face d'elle, démolie, lamentable. Sofia connaît la réputation de K., elle sait qu'il serre les meufs. Un jour, il lui a dit : « Toi, t'es sur ma liste, je vais te serrer un de ces quatre ! »

« Il faut que tu rentres chez toi ! insiste-t-elle.

— Je reste ici un petit peu, après, je rentre. »

Quelque temps après, je reviens chez moi. Il n'y a personne. Ouf ! Pas de réponse à donner ! Le silence règne dans la maison, mais je ne me sens qu'à demi protégée ici. J'ai la sécurité des quatre murs, mais c'est la seule. Je crains une nouvelle terreur. J'imagine les yeux de mon père injectés de sang, sa mâchoire crispée de colère, ses poings préparés à me démolir. Quand j'imagine ses réactions, je me sens comme un chien errant à qui l'on jette des pierres pour qu'il dégage.

J'en ai pourtant reçu des coups, mais ces coups-là, je n'en veux pas. Il ne faut pas que l'on sache. « Si tu ouvres ta bouche, je crame toute ta famille ! » m'a dit K. en me quittant. Je sais qu'il en est capable. J'imagine la maison en feu, mes parents et mes petites sœurs affolés. Tout cela à cause de moi. Je me tairai.

J'enlève mes chaussures et je vais me faire couler un bain. Chaud, très chaud, le bain. J'ai tellement besoin de chaleur ! Et puis, je veux m'engourdir dans l'eau chaude, me dissoudre. Je ferme les yeux. Ça tourne... Ça tourne... Je plonge ma tête sous l'eau. Si elle pouvait nettoyer aussi mes souvenirs, me laver de toute cette saleté !

Quand l'eau est moins chaude, je vide la baignoire et me lave sous la douche. Je me frotte comme une dingue. Je m'esquinte la peau, malgré la douleur laissée par les coups. Je voudrais être débarrassée de tout ce qui pourrait encore subsister d'hier. Je savonne trois fois, dix fois, surtout en bas, là où il me semble que l'odeur persiste. Je passe plus d'une heure à me nettoyer. C'est bon, j'ai encore le temps avant que les parents arrivent, de m'habiller, de manger un peu, de me reposer et de repartir. Je n'ai pas la force d'affronter leurs regards, après ce qui s'est passé cette nuit.

Je repars dans la tourmente. Je ne veux plus penser, je veux juste m'abrutir. C'est mon seul refuge. Je n'ai pas d'autre issue. Personne ne peut m'accueillir, personne ne peut me défendre contre ces fils de pute. Je vais m'abrutir de tout et de rien. Sur la route de la gare, je n'en mène pas large. Dans le RER, je regarde partout, j'ai peur de tomber sur la clique ou sur K.

Je suis tellement choquée que je ne me rends même pas compte du danger que cela représente de prendre ce putain de RER. Je vais voir Rachida à Garges. C'est mon amie, ma sœur, ma copine de galère, la première à qui j'ai donné toute ma confiance. Elle est belle comme un soleil. Elle a des petits yeux malicieux et une crinière de vahiné. Je l'appelle de dehors pour qu'elle se mette à la fenêtre et descende. Nous allons dans les escaliers, au numéro dix. Je lui balance tout. Elle pleure avec moi, me console, me réconforte un peu.

« Qu'est-ce que tu vas faire ?

— Je sais pas.

— Tu peux venir chez moi, mes parents sont au Maroc. Je garde la maison avec mes frères et sœurs. »

Je préfère rester avec Rachida que retourner à la maison. Chez elle, je me sens en sécurité, alors que je ne le suis pas. Je ne sors pas pendant trois jours, juste un peu dans les escaliers pour fumer ma clope.

Rachida, je l'admire beaucoup. C'est elle qui m'a appris à taper dans les magasins de fringues et à conduire un scooter. C'est avec elle que je suis allée en boîte, les premières fois. C'est avec elle que j'ai fait mes premières vraies conneries, que je suis montée en grade ! On se ressemble beaucoup toutes les deux. On nous prend souvent pour des sœurs et ça nous fait rire.

Chez elle, j'essaie de ne rien changer à ma vie, je donne le change. Avec elle, je vais à Paris, je sors. J'évite de rester à Garges pendant la journée. Quand je rentre le soir avec elle, j'ai de nouveau la peur au ventre. J'ai la hantise de tomber sur K. ou sur la clique, alors je balance mes yeux dans tous les sens, comme des radars, pour m'assurer que le champ est libre. Malheureusement, le frère de Rachida m'a grillée, il n'est plus question de rester chez elle et je suis obligée de rentrer chez moi.

Donc, un après-midi, je rentre chez moi, je sais qu'il n'y a personne et que je vais pouvoir être à l'aise. Chez mes parents, je ne me sens bien que lorsqu'ils sont absents. Là seulement, je peux jouir du silence. Sinon, je passe mon temps à tendre l'oreille, à l'affût de ce qui se dit de moi. Suivant le ton de la voix, les intonations, je peux deviner si l'on parle de moi ou non. Parfois, je vais jusqu'au couloir, et j'écoute en cachette. Quand le ton monte, je sais que c'est moi qui en fais les frais.

Cet après-midi-là, je m'installe dans la chambre de ma petite sœur. Là, je suis à l'abri, car, si bizarre que cela puisse paraître, quand ma dernière petite sœur est à côté de moi, mon père n'ose pas me toucher. Il l'a fait une seule fois, mais elle a fait une crise de nerfs et il ne s'y est plus risqué. Je dors sans dormir, j'attends que l'heure passe et que quelqu'un rentre. C'est mon père qui arrive le premier avec mes deux sœurs. Je sens qu'il a envie de me défoncer parce que je ne suis pas rentrée depuis longtemps, mais la présence de mes sœurs l'en empêche. Elles sont toutes contentes de me voir. Elles ne me quittent pas de la soirée d'autant qu'elles sentent la tension qui plane et le risque que cela représente pour moi. Je suis là près d'elles, près de mon père, avec mon douloureux secret qui ne me quitte pas une seconde. Je suis là, la bouche cousue par la peur, la honte et la culpabilité. Je ne dirai rien.

Par Rachida, j'apprends que tout le monde « le sait » et qu'ils sont au courant que je n'ai pas porté plainte. Je rencontre des enculés qui me disent : « Alors, tu t'es fait serrer par K. ? », en rigolant, comme s'ils me disaient : « T'as pas une clope ? » ou : « Téma, le gros boudin ! » Chaque fois, c'est comme un électrochoc. Chaque fois, je vois resurgir les images et les souvenirs que je m'efforce d'oublier. En fait, mon histoire a déferlé comme une vague et ma réputation est faite. Pour tous, je suis une « Marie-couche-toi-là ». Si je n'ai rien dit, c'est que j'étais consentante. Tous se la donnent. On me critique. On en profite pour dire tout haut ce que l'on pensait tout bas. Une fille qui « traîne », c'est une pute, donc qu'elle ne se plaigne pas s'il lui arrive des embrouilles.

Je me sens piégée car il n'est pas question pour moi de parler. Alors je me force à ne pas y penser et je continue mes conneries avec Rachida. Je fais attention à éviter certains endroits, certaines bandes qui veulent faire mumuse avec moi. Quand une fille s'est fait serrer, les mecs veulent tous en profiter. C'est la loi des cités. S'engage alors un jeu dangereux. Je joue au chat et à la souris partout, dans le RER, dans le bus, dans les rues. J'ai les nerfs à vif, j'ai besoin de prendre l'air, il faut que je trouve une échappatoire. Trop de haine, trop d'incompréhension. Trop de peur aussi, obsédante.

Une huitaine de jours plus tard, je parviens à convaincre ma mère de me laisser partir pour la Belgique. C'est là que vit ma famille d'accueil, chez laquelle j'ai passé les cinq premières années de ma vie, quand ma mère ne pouvait pas me garder avec elle. Là, je continue à me taire. Ils ne comprendraient pas, il y a un tel décalage entre ce que je suis avec eux et ma vie à Paris. Ce serait trop douloureux de leur expliquer cette vie. Je ne veux ni les inquiéter ni les décevoir. Alors, je donne toujours le change. Que puis-je faire d'autre ? Je reste chez eux tout le mois d'août. Je profite des moments que j'ai avec eux, je les savoure. J'ai raison, car ce seront les derniers avant bien longtemps. Je ne les reverrai plus pendant dix ans.

À mon retour, rien n'a changé à la maison : les coups, les cris, les yeux de mon père pleins de colère, de violence, de mépris. Je continue mes habitudes avec Rachida, sans lui parler de ce qui me tient la tête, ni de la peur qui ne me quitte pas. Quant aux autres, je veux leur faire croire que tout ce qu'on raconte est faux. Je suis là, je rigole, je ne suis pas à pleurer dans mon coin. Cela me paraît être une preuve suffisante. Pourquoi n'ai-je pu donner libre cours à ma souffrance à ce moment-là ? J'en aurais eu tellement besoin ! Mais je n'avais personne à qui me confier ni personne pour me protéger. Mon cœur était lourd et ma tête en plein délire.

3

K.

Un soir, en septembre, après mon retour de Belgique, je suis à Garges, avec Rachida et deux autres copines : Nora et Soria. On est là, on tchatche, on galère. Finalement, on décide d'aller en boîte à Pontoise. C'est gratuit pour les filles et on a un petit peu de tunes pour les verres. Rachida ne nous suit pas sur ce coup-là. On part à trois. La boîte est bidon mais, pour moi, c'est une soirée de moins à la maison et une de plus à m'abrutir. En sortant, on est claquées. On attend le train à la gare du Nord.

La fatigue nous rend euphoriques, nous rions pour un oui, pour un non. Le train arrive. On rigole, on se bouscule, on cherche des places où s'installer. Le train est plein. Les gens partent travailler et nous, nous rentrons nous coucher. Au moment où nous allons nous asseoir, une des filles crie : « Il y a K. ! » Mon rire se fige. Mon cœur fait un bond. Je dois bouger de là au plus vite. Mais K. nous a entendues, il était assis juste derrière moi. Je vais pour me sauver mais, dans mon affolement, je m'étale par terre. Il me rattrape et éclate de rire.

« Alors, tu veux te sauver ? Viens t'asseoir avec moi, on va faire des petites affaires tous les deux !

— Je t'en supplie, laisse-moi ! Je n'ai rien dit ! »

Il me stoppe net avec une baffe. Cette baffe me catapulte un mois en arrière, à cette nuit sordide que je veux oublier. Il me tord le bras pour me faire avancer. « Alors, tes copines se sont sauvées ? » C'est vrai, elles se sont envolées, et sans tirer le signal d'alarme. Il m'oblige à m'asseoir face à lui. Il promène ses yeux partout sur moi.

« T'as été en boîte ?

— Oui.

— Où ?

— Pontoise.

— C'est qui avec toi ?

— Nora et Soria.

— Y a pas Rachida avec toi ?

— S'il te plaît, laisse-moi partir ! »

Je prends les passagers à témoin.

« S'il vous plaît, aidez-moi !

— Ferme ta gueule ! »

Il me balance une série de coups. Les gens regardent, terrorisés. « Qu'est-ce que tu regardes ? C'est ma meuf, on s'embrouille », crie-t-il à ceux qui n'ont pas l'air d'accord. Personne ne bronche, personne n'intervient. Je suis en train de me faire massacrer la gueule dans le RER et personne ne bouge. Je supplie les gens de tirer le signal d'alarme, pas un ne le fait.

« Rachida n'est pas là ? C'est pas grave. Toi, t'es là. Tu vas descendre à Sarcelles avec moi.

— Laisse-moi partir, je dois descendre ici !

— Ah ! Tu flambes en plus ! »

Et vlan ! Il me donne des coups de pompe dans les mollets. Les gens regardent ostensiblement dehors. Un peu plus loin, il y a un gars que je connais, on le surnomme Serpent. Je le regarde fixement pour qu'il comprenne que j'ai besoin d'aide. Il détourne le regard, il ne me calcule pas.

Quand je vois le train dépasser mon arrêt, je sais qu'il n'y a plus d'espoir. Je me tais. J'arrête de supplier. En descendant du train à Sarcelles, je fais une dernière tentative. Rassemblant tout mon courage, je m'arrache à son emprise et je me mets à cavaler à toutes jambes. K. est un sportif, il me rattrape aussitôt. Il m'assomme sous une rafale de droites en pleines tempes. « Ah, tu gazes ! Moi, je blague pas. Vas-y, avance ! »

Il m'emmène dans un bâtiment. Il a l'air de connaître. Il sort une clef et ouvre la porte de la cave. C'est plein de couloirs. On en prend un et il me pousse pour me faire avancer. Nous voilà dans le local à poubelles. Il y a de grandes poubelles vertes, des sacs par terre pleins d'ordures, de l'eau qui coule d'un robinet. Ça pue. Si je respire, je vomis. Les images de la dernière fois m'envahissent. La peur, la haine, l'impuissance me terrassent. Je me souviens de la force des coups, de ce qu'il est capable de mettre. Il me fait une balayette qui me met à terre et me dit :

« Mets-toi à genoux ! Tiens ! Excite-moi avec ta bouche ! » Je fais ce qu'il me dit. « Enlève ta culotte, t'es propre ? Vas-y, vas-y, allonge-toi ! » Je m'allonge, tel un automate. Je connais la chanson. Je ne résiste plus. Le contact avec le sol est répugnant. C'est froid, c'est humide, ça pue. Je sens que le sol me glace le dos, mais lui, je ne le sens pas. Je suis inerte, absente de mon corps. Comme la dernière fois, je me sauve de là, je me sauve de lui, à fond dans ma tête. Ça n'a pas duré longtemps cette fois-ci : dix, quinze minutes, une demi-heure, trois quarts d'heure. Je ne sais pas, mais pas toute la nuit.

« C'était bien ?

— ...

— Réponds !

— Ouais ! Ouais ! »

Enculé, tu me demandes si c'était bien ! Tu me donnes envie de gerber ! Je voudrais te mollarder la gueule et te crever les yeux ! La voilà la réponse que j'ai envie de te donner, fils de pute ! Je remets mon slip, ça me dégouline entre les jambes. Je me sens sale. Je me sens souillée. Une seule chose m'intéresse : sortir de cette cave, en finir pour de bon. À la sortie de la cave, nous sommes dans une rue pleine de commerçants.

« T'as faim ?

— Non, merci ! »

Et voilà, il recommence à me parler comme si de rien n'était. Nous marchons vers la gare, dix, quinze minutes, puis il me tend une pièce de dix balles et me dit : « Allez, casse-toi ! » La pièce me brûle les doigts, je la jette dans l'égout et je me mets à courir vers la gare en pleurant. À la gare, je tombe sur mes copines. Elles avaient peur. Elles se sont enfermées dans les toilettes. Elles n'ont pas pu tirer le signal d'alarme... Ouais... Ouais... Je n'écoute pas leurs explications. Je pense à ce que je vais faire maintenant, à l'endroit où je vais bien pouvoir aller. Les copines me laissent tomber, elles doivent rentrer... Ah ça, pour les conneries, elles sont là, les copines ! Mais maintenant que je suis dans la merde, il n'y a plus personne !

Il me reste Rachida, je vais la voir et lui raconte ce qui vient de se passer. Elle est froide et distante. Elle me dit que son frère gueule, qu'il ne veut plus me voir devant sa porte. Les bras m'en tombent, je suis anéantie. Elle aussi m'abandonne. Pour elle, j'ai risqué ma peau tous les jours. Pour elle, j'ai payé. J'ai payé à sa place, c'était elle que K. voulait dans le train ce matin. Je ne comprends plus rien. Que fait-elle de notre amitié et de notre complicité ? Nous étions comme des sœurs, que lui arrive-t-il ? La seule chose que je comprends, c'est que finalement on ne m'aime pas beaucoup. Des gens que je croyais mes amis regardent froidement se dérouler les épisodes de mon malheur, comme si rien, jamais, n'avait existé avant.

En rentrant chez moi, je jette mes vêtements à la poubelle. Je prends une douche. Je ne veux plus la quitter, j'y reste jusqu'à ce qu'il n'y ait plus d'eau chaude. Je mets un pyjama propre et j'attends que la vie rentre dans la maison. Mes parents du boulot, mes sœurs de l'école. Je voudrais être une petite fille qui attend ses parents, dans son beau pyjama propre. Cette chaleur dont je rêve, ce soir, je ne l'ai jamais eue. J'ai toujours été bouffée de cris et de coups.

4

« Filles à cave »

Le rap, les tags, la break-dance venaient de faire leur entrée et nous avaient à tous pété « la boîte crânienne » ! Des B. boys et des Fly girls en puissance pullulaient partout dans les quartiers à base de 501 Levi's taille 56 et la p'tite paire de baskets introuvable, mais que toi t'as trouvée pour te la péter avec !

À l'époque de mes treize ans, la mode était de faire partie d'une bande, de se donner un nom américain et de se prendre pour un Américain. Le « jeu » consistait à faire des conneries les plus dingues qui soient pour se faire une réputation de oufs ! Le renom de ces bandes était proportionnel à leur sauvagerie. Certaines étaient composées de plus de cinquante gars. Les bandes les plus connues étaient les Black panthers, les Black dragons, les B. boys, les Warriors, les BSP (Barbares sans pitié). Les plus célèbres, parce que les plus craintes, étaient les Requins vicieux et leurs petits frères les Requins juniors. Ça bougeait, ça squattait, à Châtelet, La Défense, Gare-du-Nord. Tous ces endroits étaient devenus de véritables coupe-gorge. Tout était bon pour faire méchant : bagarres, racket ou agressions.

Nous, les filles, on bougeait en bande aussi, le plus souvent sur Paname. On se promenait à la recherche d'un pigeon pour nous payer le Mac Do ou la boîte du soir pour celle qui pouvait sortir. Ou alors on volait à l'occase. Pour nous, c'était la débrouille, la démerde pour la sape, les clopes, les sorties. Fini les paquets de gâteaux Granola, bonjour les cartes bleues ! Il y avait aussi des cache-cache permanents avec les gars des bandes. C'était la chasse, il ne fallait pas se faire prendre. Moi, je croyais être protégée parce que je sortais alors avec Jaïd.

Ce phénomène de bande semait la terreur et brisait les vies, chez les garçons comme chez les filles. Chez les garçons, c'était dur et sans pitié, cela se terminait soit par la prison soit par la mort. Quant aux filles, on n'en parlait pas à l'époque, mais leur sort n'était pas plus enviable. Elles étaient la proie des bandes et subissaient leur violence dans la honte et le secret. L'habitude était de « serrer des meufs » ou de les « faire tourner ». C'était facile pour les garçons : un coup de poing, une balayette, un peu de pression et l'affaire était réglée. On se prêtait une fille comme on se prête un CD ou un pull. On la faisait « tourner », comme un joint. On faisait participer des animaux, on utilisait toutes sortes d'objets pour corser l'affaire. On prenait des photos et on se « tapait des barres » à mater et à commenter. Les filles étaient des marchandises, et elles le sont encore. Cela n'étonne personne, c'est passé dans les mœurs. La violence de ce qui se passe dans les caves et dans les locaux à poubelles, ou ailleurs, s'est encore accrue depuis mon époque. Les viols collectifs sont devenus des actes banals et les agresseurs sont de plus en plus jeunes.

Les victimes sont des jeunes filles naïves, un peu « fleur bleue » comme je l'étais. Des filles qui tombent terriblement amoureuses d'un petit caïd, comme le fut Jaïd, et qui se retrouvent, à cause de cela, avec une réputation de « fille facile », de « fille à cave ». Dans les cités ou dans les quartiers chauds, le machisme traditionnel de la maison est descendu dans la rue. C'est devenu la loi de la cité. Les garçons et les filles ne se mélangent pas. Les amitiés, les flirts existent difficilement. D'un côté les garçons passent leur journée, désœuvrés, à « tenir les murs » comme on dit chez nous. Ça commère, ça rigole, ça chambre en bas de la cité.

Quant aux filles, il y en a deux sortes : les filles « bien » et les « taspés ». Les filles « bien » sont à la maison, font le ménage, s'occupent de leurs frères et sœurs et ne sortent que pour aller à l'école. On les respecte parce que « grand frère » ou parce que « sort pas ». Ces filles ne peuvent s'émanciper que par le savoir, la fuite ou le mensonge. Et puis, il y a les autres : celles qui traînent dehors comme les garçons, les p'tites cailleras. Celles qui, comme moi, bravent les interdits parce qu'elles se maquillent, vont en boîte et fument. Il n'y a là rien de répréhensible, mais c'est suffisant pour faire une réputation de « fille facile », de « fille à cave », de « petite salope ». Ces filles-là, on peut leur faire n'importe quoi parce que « pas de grand frère », parce que « sortent dehors », parce que « traînent ». On les appelle aussi des « taspés », des « rates », des « cailles », des « cochonnes ». Une réputation, c'est très important dans une cité. Ça vous suit partout. Ça vous colle à la peau. Ça peut paraître cliché, mais c'est parfois aussi radical que ça.

C'est ce que j'ai vécu, c'est le traitement que j'ai subi. Pour moi, ce fut une torture psychologique d'être traitée comme une moins que rien, une pute, un glaviot, une vraie « merde ». Cela m'a donné l'impression de ne plus exister, j'étais comme morte.

Mais dans les cités, personne ne s'étonne plus de rien. Même les filles, qui sont la cible par excellence, ne réagissent plus aux violences, y compris verbales, qui leur sont faites. Les insultes, les chambrettes sur leur aspect physique ou vestimentaire, les crachats, les petits coups de pompe par-ci, par-là font partie de leur quotidien. Ce genre de relation fille-garçon est devenu un rapport de forces banal. Les codes, les préjugés, les attitudes à respecter ou à éviter sont légion. Cela va jusqu'à la tenue vestimentaire. Une fille féminine dans nos quartiers est une « taspé », alors qu'une fille en jean-baskets est une fille « bien ». Cette catégorisation est déjà une violence et pourtant elle ne gêne personne.

Quant aux « filles à cave », aux petites amoureuses, après avoir été traitées comme des merdes, après avoir été humiliées, saccagées, détruites, après avoir été traînées dans la boue sans pitié par toute la cité, elles ont encore à faire face aux menaces des bandes contre lesquelles elles ont porté plainte. Menace de mettre le feu à leur appartement, menace de vengeance odieuse, meurtrière parfois. Mais le plus fort, c'est que les violeurs se considèrent comme des victimes, ils sont les « héros » à plaindre, ceux qui sont sous les verrous, parce qu'ils ont été « donnés ». Pourtant, si on leur demande ce qu'ils feraient si un gars violait leur petite sœur, ils répondent sans hésitation : « Je le flingue ! » Elle n'est pas à se taper la tête contre les murs, cette logique ?

Beaucoup de filles que j'ai connues à cette époque et qui ont eu, comme moi, leur enfance saccagée par un viol et ses conséquences — réputation désastreuse, rejet et abandon de tous — ont « mal tourné ». Certaines sont en prison, sur le trottoir, en psychiatrie ou complètement camées. Je me demande souvent comment elles font pour survivre. Que sont-elles devenues ? Comment peuvent-elles s'en sortir seules, sans personne pour recueillir leur détresse, sans une main tendue, un sourire compréhensif ? Comment peuvent-elles s'en sortir sans soutien psychologique ?

5

Deux familles

Mes parents sont des immigrés, très européanisés, pourtant des séquelles leur sont restées de leur éducation. Il fallait agir comme avec eux : faire comprendre à coups de taloche, à coups de poing et à coups de pied au cul pour que ça rentre bien dans la tête ! Je suis le fruit de deux traditions, de deux modes de vie complètement contradictoires. J'ai reçu de mes parents une éducation traditionnelle que l'on ne m'a jamais expliquée autrement qu'avec des coups, des cris ou des glaviots. J'ai reçu aussi une éducation plus européenne, issue de ma petite enfance en Belgique, dans la famille d'accueil où ma mère m'avait placée. J'y suis restée les cinq premières années de ma vie puis, quand ma mère m'a reprise, j'y suis retournée à toutes les vacances scolaires jusqu'à mes quatorze ans. Là-bas, la vie était douce et tranquille. Papa Jean et maman Josette étaient des personnes équilibrées et bienveillantes qui m'ont donné amour et confiance.

J'avais à peu près un an quand je fus accueillie par ce jeune couple de Flamands, qui habitaient près de Liège. Ne pouvant pas avoir d'enfants, ils s'étaient adressés à l'association Les Semeurs de joie qui proposait d'accueillir des enfants d'immigrés en difficulté. Au départ, je devais rester trois mois, pour la durée des vacances. Finalement j'y suis restée cinq ans... Quand je pense à mes parents de cœur, un sentiment de chaleur m'envahit. Je revois le jardin, la campagne toute verte, les champs de maïs. Je revois les fêtes joyeuses et, surtout, les bêtises avec « mon cousin » John. Je me souviens des Noëls, quand on préparait le sapin. Je le décorais avec papa Jean. Maman Josette nous faisait du chocolat chaud, puis on allait voir Saint Nicolas qui nous distribuait des bonbons.

On partait à la pêche aux grenouilles dans les petits chemins en haut du village. On s'amusait à agacer les animaux. C'était une vie saine, en contact avec la nature. La famille d'accueil était faite de parents attentionnés, affectueux, pleins d'amour. Papa Jean avait de la classe et sa joie de vivre animait la maison. Il était calme et réfléchi, jamais un cri, jamais un geste d'énervement. Si je faisais une bêtise, il m'aidait à comprendre en quoi j'avais tort, il m'encourageait à l'intelligence et écoutait ce que j'avais à dire avec intérêt. C'était si loin des coups de pompe dans la gueule que j'ai reçus plus tard !

Maman Josette était une vraie mère et, pourtant, elle n'avait jamais pu avoir d'enfants. Elle savait quoi faire quand j'avais mal à la tête, elle savait me consoler quand j'étais triste, elle me donnait tout le temps ce dont j'avais besoin. Elle avait les gestes, les mots, les attentions. Elle s'intéressait réellement à ma vie. Je n'oublierai jamais les câlins du dimanche matin quand j'allais les réveiller tous les deux. Elle voulait un enfant et m'a acceptée telle que j'étais, croyant que je serais là pour toujours. Je garde en moi, quand je pense à ces années, une grande lumière blanche et joyeuse qui réchauffe mon cœur. Grâce à ces gens, j'ai su que le bonheur existait. Si j'étais restée chez eux, je ne serais jamais devenue la beurette de banlieue, la petite caillera qui s'est enfoncée dans les galères et le malheur. Qui aurais-je été ?

Mes vrais parents font partie de la deuxième génération d'immigrés, une génération partagée entre l'envie de liberté que promet la France et celle de ne pas oublier ses racines. Ma mère a perdu son père très tôt et n'a connu sa mère qu'à six ans, comme moi. Elle a passé son enfance à la casbah d'Alger, élevée par mon arrière-grand-mère. Quand sa mère l'a reprise, sa vie n'a pas été rose. Elle avait six frères et sœurs et ma grand-mère était extrêmement autoritaire, particulièrement avec elle. Elle devait s'occuper de tout dans la maison : de ses frères et sœurs, des courses, des papiers à faire. Elle a subi des traitements d'une violence incroyable, commandés par sa mère et exécutés par son frère aîné. Cet oncle a eu l'occasion de me corriger pour m'avoir vue, un soir, discuter dans la rue. Il m'a fait asseoir sur une chaise et m'a attaché les bras derrière le dos. Ensuite, il s'est mis à me gifler à la volée. Pour finir, il m'a plongé la tête dans la baignoire pleine d'eau. Ce n'est pourtant rien à côté de ce qu'il faisait subir à ma mère.

Elle a grandi dans la violence, sans le moindre amour. Elle a beaucoup souffert et pourtant, elle a un cœur chaud comme le soleil. À seize ans, elle s'est sauvée de la maison pour faire sa vie et s'est installée dans le midi de la France, à Bandol. Bien qu'elle n'ait pas beaucoup fréquenté l'école, ma mère comprend très vite et très bien. C'est une « rapide ». Elle a d'autres qualités aussi : c'est une fonceuse et une battante. Elle a très vite rencontré mon père. C'était un super beau gosse : Paul Newman, version rebeu. Mon oncle, toujours le même, ayant appris leur relation, l'a cherchée partout et l'a réexpédiée au bled où elle a dû rester quelques mois avant de pouvoir s'enfuir de nouveau.

Elle avait vingt-quatre ans quand je suis née, à Alger, à l'hôpital Mustapha. La vie de mes parents était mouvementée et pleine d'embrouilles. Ils jouaient à cache-cache entre Paris, Bandol et Alger. C'est pourquoi je suis née à Alger. De mon père, je ne sais pas grand-chose. Pas bavard, mon père. Il est né au bled, lui aussi, à Bab el-Oued, un quartier populaire d'Alger. Il est le dernier de la famille et a perdu sa maman très jeune. Son père s'est remarié avec une vraie garce qui l'a carrément martyrisé. Elle le battait, le privait de nourriture, de chaussures et l'empêchait d'aller à l'école. Son grand frère, qui recevait le même traitement, le battait aussi. Son enfance a été une horreur et sa souffrance l'a rendu incapable de manifester plus tard des sentiments d'amour. À l'adolescence, il a fui sa maison, c'était l'époque de la guerre, il a été passeur d'armes et torturé avant de venir en France. Il est arrivé à Paris avec de faux papiers et a pu vivre ainsi pendant quelques années. C'est à ce moment-là qu'il a rencontré ma mère. Mon père a été une « caillera ». Il a fait des conneries et en a pris pour cinq ans. C'était la fin de la guerre d'Algérie et la justice avait la main lourde en ce qui concernait les peines encourues par les Algériens.

À vingt-quatre ans, ma mère s'est retrouvée seule pour m'élever, son mari étant en prison. Pour que mon père puisse rester en France, elle devait avoir un travail, une maison, une situation stable. Elle a dû faire des putains de boulots, quelquefois plusieurs à la fois. Elle travaillait dans les trains, sur les grandes lignes, et dormait dans les villes terminus. Elle bossait dur. Elle a dû me placer en nourrice dans divers coins de France et m'a raconté qu'elle me retrouvait parfois dans un sale état, affamée ou pleine de bleus. Un souvenir de ma toute petite enfance reste à jamais gravé en moi. Ma mère m'avait préparée, je sentais bon. J'avais mis ma robe préférée et j'étais toute contente. Je me souviens d'un lieu, avec des portes partout et de longs couloirs. Je revois une petite cabine peinte en blanc crème, sans fenêtres. J'étais sur les genoux de ma mère. En face, il y avait une vitre et au milieu de celle-ci, un cercle de trous. C'était l'hygiaphone. Mon père était en prison et j'étais au parloir. Je ne comprenais pas pourquoi je ne pouvais pas aller sur ses genoux et lui faire un bisou.

C'est à cette période que ma mère a entendu parler des Semeurs de joie, et c'est ainsi que j'ai débarqué chez papa Jean et maman Josette. Après les avoir rencontrés, ma mère a compris qu'elle pouvait me laisser avec eux en toute confiance. C'était un déchirement, mais avait-elle d'autre choix ? Pendant les cinq années où je suis restée en Belgique, ma mère a trimé dans des boulots de merde pour pouvoir me récupérer et fonder un foyer avec mon père à sa sortie de prison. Quand j'ai eu cinq ans, elle a souhaité me récupérer et me faire commencer ma scolarité en France, car je ne parlais que le flamand.

De cela, j'ai un souvenir précis. Je me vois pleurer, hurler même. Je suis dans le hall d'un immeuble gris et triste. Il y a des boîtes aux lettres délabrées, des odeurs fortes de cave humide, mêlées à celles des poubelles. Quatre personnes m'entourent, je suis dans les bras de l'une d'elles et deux autres bras m'arrachent à son étreinte. Je pleure, je ne veux pas aller avec cette dame. Cette dame, c'était ma mère. C'en était fini de ma vie heureuse, des promenades dans les champs avec John, des jeux avec les animaux. C'en était fini de ce monde de douceur où j'avais été une enfant épanouie.

Heureusement, j'y retournais à chaque période de vacances. Nous étions des trains entiers d'enfants immigrés à partir pour la Belgique, la Hollande ou l'Allemagne. Nous avions un petit carton rose ou orange, attaché autour du cou, qui indiquait notre destination. On nous avait astiqué grave. Je me souviens des grandes chaussettes et des pompes vernies. Je me souviens des tenues multicolores, des robes à froufrous et à dentelles venues tout droit de chez notre « bienfaiteur », Tati, que nos mamans affectionnaient particulièrement.

On ne m'a jamais donné d'explications sur ce revirement de situation. J'étais restée cinq ans en Belgique, puis on me reprenait comme un paquet. On ne m'a jamais parlé des années de prison de mon père et pourtant elles ont à jamais marqué ma vie. J'ai eu droit à cinquante mille versions différentes, aucune n'étant vraisemblablement la bonne. Il y avait autour de moi une atmosphère de secret qui m'insécurisait et m'incitait à me poser mille questions. Chez moi, tout se faisait dans le silence. On m'avait mise devant le fait accompli, comme si je n'avais pas le droit de savoir ce qui avait décidé de mon sort. Mes parents devaient penser que moins j'en savais, mieux c'était. Ce lourd secret, je le sentais vivre autour de moi.

Voilà, je revenais chez mes « vrais » parents. C'était la banlieue, c'était Saint-Denis. Un appartement triste, des parents tristes. Les problèmes d'argent, les engueulades, le manque total de communication. Un autre monde, un réveil cruel après ma petite enfance au paradis. C'est à la naissance de ma première sœur que mon statut a changé. Je suis devenue l'aînée à neuf ans avec tout ce que cela comporte comme obligations, c'est-à-dire seconder ma mère, à la fois pour les tâches ménagères et la surveillance de ma petite sœur. Tout cela était lourd pour moi. Je faisais ce que je pouvais pour les satisfaire, mais cela n'était jamais assez, surtout pour ma mère qui me rabâchait à longueur de journée : « À ton âge, j'en faisais mille fois plus. » C'est à mes onze ans que ma deuxième sœur est née. C'est également l'âge où je suis devenue « une jeune femme », comme on dit pudiquement chez nous, et où j'ai commencé à m'insurger de plus en plus contre cette éducation de soumission. Beaucoup de choses avaient changé et en particulier cette autorité qui s'était alourdie. Tout cela me faisait fuir la maison. Je ne rentrais plus à l'heure, je n'allais plus trop en cours, j'oubliais d'aller chercher mes sœurs à la crèche ou à l'école ; comme ils disaient : « Je n'en fais qu'à ma tête ! »

Les cris, les coups, les insultes pour un oui ou pour un non n'avaient plus aucun effet sur moi. Alors ils ont fini par m'interdire tout et n'importe quoi : mes fringues, mes posters sur les murs, mes disques, telle copine, telle sortie, le solfège, la danse. Il ne me restait plus que la rue pour me distraire. Peut-être aurais-je pu être une enfant sage, si j'avais reçu des paroles à la place des coups. Mais des paroles, je n'en ai jamais reçu. Un jour, je n'ai plus supporté les coups. Et c'est la rue qui m'a ouvert les bras. J'ai commencé à sécher les cours, à traîner, à voler, à fuguer de plus en plus souvent.

Dans la rue, je n'étais pas à ma place non plus. On me considérait comme une petite bourge parce que je sortais d'une école privée et que je vivais dans une atmosphère de classe moyenne. Des parents qui travaillent tous les deux et pas de grand frère pour me surveiller. Il est vrai que je ne correspondais pas au modèle typiquement « rebeu », avec parents tatoués et ridés, et une cargaison de frères pour me surveiller. Dehors, je ne suis pas devenue une petite dure du jour au lendemain, je ne me suis pas réveillée un matin en me disant : « Ça y est ! Aujourd'hui je me prends pour un Golgot [1] 13, j'vais tout niquer ! » Non, non avant ça je m'en suis pris plein la gueule. Des « mises à l'amende » pour un regard, une embrouille du genre : « T'as dit que j'ai dit !... » Des bagarres enclenchées pour une parole de travers et dans ces cas-là il y a toujours une clique pas loin, pour alimenter l'affaire avec des « Haaan ! Elle t'a dit ça ! ». Il y a plein de filles et de fils de putes qui ont bien profité de ma naïveté. Ils m'en ont mis des droites dans la gueule ! Ils se sont fait plaisir les enculés ! Il fallait faire face, j'ai fait face, j'en donnais autant que j'en recevais. Je n'avais pas de grand frère pour me défendre, finalement je ne me sentais bien nulle part. C'était la pression partout. Comment comprendre ce qu'on m'imposait ici, cette éducation faite de taloches et d'interdictions, cette inégalité entre les garçons et les filles, ces tabous envahissants, après ce que j'avais connu chez papa Jean et maman Josette ?

---

1. Robot géant du dessin animé *Goldorak*.

6

La plainte

Après l'épisode du RER, je ne sors plus du tout. D'abord, je me sens cruellement blessée par la trahison de mes amies ; ensuite, je crève de peur de retomber sur K. et de subir encore et encore les mêmes supplices. Je reste murée dans mon silence. J'ai peur, j'ai honte. Je ne dis rien mais j'y pense sans cesse. Si je parle, je sais déjà ce qu'on va me dire : « Tu l'as bien cherché à traîner dans les rues ! » À la maison, je suis déjà considérée comme une putain. Avouer ce qui m'a été fait correspondrait pour moi à leur donner raison. Surtout pas ! Pourtant, si je reste enfermée dans la baraque plus longtemps, je risque de péter un câble.

Je n'ai pas le choix pour le moment. C'est la rentrée depuis quelques jours déjà et je n'ai pas de bahut. Je me suis fait virer de ma troisième. J'ai demandé une orientation dans la vente, mais aucun lycée ne veut de moi. Je les comprends, avec le dossier que je trimballe ! En deux mois, tout a basculé pour moi. Toute ma vie a éclaté en morceaux. En réalité, j'ignore que ce que j'ai subi est un crime puni par la loi. Pour moi, ces mecs sont des fumiers qui se sont méchamment amusés avec moi. Je suis déjà tellement habituée à la violence et aux mauvais traitements à la maison et dans la rue que je crois que c'est une fatalité. Le désir de vengeance ne me vient même pas. Je ne suis que honte et culpabilité. Pourquoi? Qu'ai-je fait de mal? Pourquoi ne sais-je rien faire d'autre que de reporter la faute sur moi?

En fait, je pense mériter ce que j'ai subi parce que je ne suis plus vierge. Chez les musulmans, ne plus être vierge pour une jeune fille est un sacrilège et je sais que mon père pourrait me tuer pour cela. J'ai couché avec Jaïd. De plus, je suis fugueuse et voleuse. Je n'écoute ni mes parents ni mes profs... Je n'ai donc pas à me plaindre de m'être fait violer. Je l'ai cherché. C'est bien sûr ce qui se dit autour de moi, mais c'est aussi ce que je pense de moi.

Je n'en peux plus de rester à la maison. Je rêve de faire du dessin et de la peinture et je commence à chercher de ce côté-là. Enfin, on me donne ma chance dans un lycée professionnel d'art et de décoration, malgré mon dossier de ouf. Je suis folle de joie. Je mets toute l'énergie qui me reste à l'école. Cette école, c'est ma chance, mon espoir de m'en sortir. Je mets le paquet. Je veux me racheter une conduite et devenir comme les autres. Cependant, je n'oublie pas. Au fond de moi, une petite voix étouffée essaye de se faire entendre. Elle gueule dans mon ventre en circuit fermé. Ça hurle, ça brûle, ça se tord. Je sens des paquets d'émotions qui s'entrechoquent et se déchirent. Mais je mets toute ma force à les faire taire. Rien ne sort. Quant à ma tête, elle bouillonne. C'est un remue-ménage incessant. Je remplis mon cerveau de pensées banales pour lui assurer un mouvement permanent qui m'empêche d'entendre le cri de détresse de ma petite voix et de m'attarder sur mes souvenirs.

Je dois savoir, au fond de moi, que je n'ai pas la force d'affronter cette réalité seule, que cela me briserait. Alors j'occulte de toutes mes forces, je fais comme si cela n'existait pas. Comme si je n'avais pas mal au corps et au cœur. Ma carapace invisible me protège et me permet de donner un putain de change à tous : aux profs, aux élèves et surtout aux parents. Le plus dur, ce sont les parents. Je me vois dans la cuisine avec ma mère, partagée entre l'envie de tout lui dire pour me soulager et la peur qui me tétanise. Rien, jamais, ne sort de ma bouche. Je suis paralysée. Tous les soirs je scrute leur visage pour tenter de deviner s'ils savent ou non. Une partie de moi voudrait que cela se sache, j'ai tellement besoin d'aide. L'autre a trop peur des conséquences. Si mes parents apprennent que je ne suis plus vierge et que j'ai été violée, cela se soldera encore par des insultes et par des coups. Et puis, comment vont réagir les bandes, Jaïd et surtout K. ? Je me sens comme une boule de flipper qu'on tilte de tous les côtés.

À l'école, ça se passe bien. J'aime ce que je fais. Les profs sont cool. C'est une autre vie. Du coup, mon regard sur l'école se transforme et je n'ai plus la même attitude. Je ne sèche plus, j'arrive à l'heure, je ne fous plus le bordel. Je ne veux pas que les choses se sachent, pas question de gâcher mes chances. Et puis, je suis avec des élèves si différents de ceux que j'ai connus ! C'est pas *Beverly Hills* mais les gens sont polis et respectueux. Quel changement ! Les garçons et les filles se mélangent naturellement comme dans un vrai lycée. Dans ma classe, ce sont des artistes en herbe, ils ont un petit air cool, un peu baba. Je suis heureuse d'apprendre des choses nouvelles : l'histoire de l'art, le dessin. J'étais entrée dans ce lycée avec un dossier minable, des blâmes, des conseils de discipline. Le conseiller m'avait prévenue : « Un retard, une connerie et je te fous dehors ! » J'étais trop contente. J'avais réussi à me faire accepter malgré mon dossier et, qui plus est, dans une section artistique : mon rêve ! Tu m'étonnes que j'aie bossé !

Nous sommes au mois de novembre, un mercredi après-midi. Mes sœurs sont au centre aéré.

Je suis dans ma chambre et mon père dans le salon. Il ne travaille pas aujourd'hui. J'entends frapper à la porte. Je vais ouvrir. C'est Rose, la grande sœur de Sofia, accompagnée de deux filles que je ne connais pas. Je panique : mon père ne veut pas de copines à la maison, pas même au téléphone, d'ailleurs. « En fait, nous avons appris ce qui s'est passé pour toi avec K. et nous voulions te demander de porter plainte avec nous, car nous aussi, il nous a agressées. » Elles s'appellent Pauline et Clarisse et se sont fait agresser à un jour d'intervalle par K. à la gare de Sarcelles. Pauline a bien sûr eu connaissance de mon histoire par Sofia. Elle a vingt ans, elle travaille, c'est une femme, pas une gamine comme moi. Et puis, elle a de l'énergie. Elle essaie de me convaincre de porter plainte. « Il ne faut pas laisser ce salaud dehors ! Moi, il a seulement essayé de me tripoter et je porte plainte ! Avec ce qu'il t'a fait, il doit aller en prison. » Je suis paniquée, tout se brouille dans ma tête, je ne sais pas quoi faire. J'ai tellement peur de mon père que mes jambes en tremblent. C'est alors que la porte s'ouvre brutalement : « Qu'est-ce que vous foutez là ? Toi, rentre ! » C'est Pauline qui prend la parole : « On aimerait vous parler, monsieur. C'est à propos de votre fille. » Mon père me regarde, furieux : « Casse-toi dans ta chambre ! »

Puis il fait entrer les filles et les invite à passer au salon. Moi, dans ma chambre, je tends l'oreille à mort. Je n'entends rien. J'ouvre la porte sans bruit et me glisse dans le couloir pour entendre mieux. Peine perdue, ils parlent trop doucement. Je retourne dans ma chambre et j'attends. Je l'entends se lever avec ses pantoufles qu'il fait traîner à longueur de journée. Il se dirige vers ma chambre. Je fais semblant de travailler. Il ouvre la porte violemment, son visage n'est que haine. Il s'avance vers moi. « Amène-toi ! » Quand mon père parle, c'est comme un tremblement de terre, tout ton être est emporté, retourné et secoué. C'est tout son mépris et sa violence qu'il te balance à la face et ça bouscule dur ! Il ne hurle pas forcément, il te la joue à froid, c'est terrifiant et ça te glace sur place. Je suis face à lui, terrorisée, attendant la question fatidique.

« C'est vrai ce qu'elles disent tes copines ?
— Oui. »

Ouf, ce « oui » m'a soulagée. Mon père va me prendre dans ses bras, il va me protéger, il va me dire : « C'est qui, ces fils de pute qui ont fait du mal à ma petite fille ? T'en fais pas, on va les tuer, ton père est là, tu n'as plus rien à craindre. Tout est fini, je suis là, je vais m'occuper de toi. Tu vas bien, ma petite fille ? » En fait de douceurs, il hurle : « Casse-toi dans ta chambre ! »

Suis-je soulagée ? Je n'en sais rien, car j'ai toujours la peur au ventre. J'attends la suite des événements. Quelle va être la réaction de mon père ?

Bizarrement, je ne reçois pas de coups. Il appelle ma mère au travail et lui parle en arabe, donc je ne comprends rien. Plus tard, j'apprends que Pauline a persuadé mon père de porter plainte.

Nous sommes au commissariat de Pontoise pour porter plainte. Il y a Pauline, sa maman, Clarisse et moi. Ni mon père, ni ma mère n'ont jugé bon de m'accompagner. J'affronte donc seule cette nouvelle épreuve. Nous sommes reçues par plusieurs inspecteurs qui prennent nos dépositions séparément. Les flics essaient de nous dissuader de porter plainte :

« Vous êtes sûres, les filles, que c'est pas parce qu'il vous a larguées, ce serait pas une vengeance, par hasard ?

— NON !!! »

Je dois répéter plusieurs fois ma déposition, redire encore et encore ce calvaire, avec des keufs qui rentrent et sortent sans arrêt du bureau. L'un mange son sandwich, un autre demande devant moi : « C'est quoi, l'affaire ? » Et puis suivent des questions du genre : « Combien de temps, la fellation ? Qu'est-ce qu'il te disait ? Et toi, qu'est-ce que tu faisais ? T'es sûre de ce que tu dis ? »

Je n'ai pas de certificat, plus de bleus pour prouver ce que je dis. C'est donc ma parole contre la sienne. Deux personnes seulement m'ont vue après le viol : Sofia et Rachida. Sofia n'a pas le téléphone, Rachida, si. Je donne le numéro de Rachida à une femme flic. Elle appelle et revient en m'assurant que Rachida viendra déposer. Non seulement Rachida ne viendra jamais, mais encore elle préviendra la clique de ma plainte... En me balançant, elle se protège elle-même. Elle a donc choisi son bord. Elle a choisi de se résigner à ce qu'on fait subir aux filles. Elle a choisi de ne pas penser et de me trahir.

J'ai mis des années à digérer cette trahison. J'aurais voulu lui exploser la gueule à cette chienne et je me jurais qu'un jour, je le ferais. Des années plus tard, je l'ai rencontrée dans la rue. Elle ne m'a pas reconnue. « Putain, qu'est-ce que je fais, je la démonte?... » Et puis, je l'ai bien observée. Rachida était devenue une toxico. Elle faisait peine à voir. Je l'avais connue si belle, si fraîche, toute lumineuse. Elle n'était plus rien, complètement éteinte, à moitié morte. La vie m'avait vengée. Alors, j'ai tracé ma route.

Je vois bien que ma situation intrigue les flics. Comment! Cette fille se fait violer deux fois et elle ne dit rien? J'essaye de leur faire comprendre que les menaces de la clique m'ont terrorisée, que je veux protéger ma famille et que pour cela je me tiens le plus tranquille possible. Je me sens mal, assise face à cet inspecteur et à ses collègues. Je me sens sale et humiliée une troisième fois. Leurs questions, leurs doutes me renvoient à ma culpabilité. Tout ce mouvement, ces regards, ces interrogatoires me donnent le sentiment d'être une coupable. Je suis coupable d'avoir désobéi à mes parents. Ils ne se sont pas gênés pour me le dire. Psychologues, les keufs! Je suis coupable d'avoir fugué. Coupable d'avoir été violée. Et, pour terminer, coupable de ne pas l'avoir dit.

Je commence à regretter d'avoir porté plainte. Les flics ne comprennent pas. Ils n'imaginent pas de quoi sont capables les gars des bandes. On commence seulement à parler d'elles, mais les flics ne connaissent que les bandes qui sont constituées de petits voleurs. Ils n'ont pas idée de ce qui se passe dans les caves des cités.

Je suis au commissariat depuis un bon moment maintenant. Il fait nuit dehors. Il doit être vingt heures ou vingt et une heures. Je suis toujours dans le bureau de l'inspecteur et j'attends. À mon avis, ils sont en train de recouper nos dépositions pour voir si tout concorde. Un inspecteur qui rentre de patrouille entre dans le bureau : « Pourquoi es-tu là, toi? » Je suis interloquée. Par où commencer ou recommencer? Je reste sans voix. Il sort et appelle son collègue. Au bout d'un certain temps, il revient et me montre une photo. « C'est pas lui K.? » Je regarde la photo. Même en photo, sa tête me terrifie. Mes jambes me lâchent. Je tremble et m'effondre sur ma chaise. Surtout ne rien montrer, pas de larmes.

« Oui, c'est lui, je reconnais ses yeux globuleux.

— Eh bien ! Ça fait un moment que j'essaie de le coincer celui-là ! »

Ensuite, il me sort une photo de Jaïd.

« Et lui, tu le connais ?

— Oui, c'était mon petit ami.

— Il t'a rien fait ?

— Non. »

Ce n'est qu'aujourd'hui, en écrivant ce livre, que je réalise que Jaïd est loin d'être innocent dans mon affaire. Il m'a bel et bien attirée dans un guet-apens. Pendant des années, j'ai cru que, comme il était absent au moment du viol, il était innocent. Et puis, culpabilisée d'avoir couché avec lui, je ne m'accordais pas le droit de me plaindre de lui. J'aurais pu porter plainte pour non-assistance à personne en danger et complicité de viol. Je n'ai pas porté plainte non plus contre ceux de la clique qui étaient là ce soir-là, parce que les coups qu'ils m'avaient donnés n'étaient rien à côté de ce que m'avait fait subir K. et ses deux complices. J'ai oublié aussi les deux filles qui étaient avec moi dans le train et m'avaient abandonnée sans donner l'alerte. Et surtout, j'ai oublié Rachida. J'aurais voulu pouvoir porter plainte pour trahison, l'assigner en justice pour ce crime contre mon amitié. Ai-je été trop bonne ou mal informée, je ne sais pas au juste. Ce que je sais, c'est que même si ces personnes n'ont pas été inquiétées, la vie ne les a pas épargnées et justice m'a été faite.

« T'es sûre qu'il t'a rien fait? insiste le flic.

— Je ne sors plus avec lui depuis longtemps.

— Pourtant c'est son grand copain à K.!

— Je sais pas. »

Je vais rejoindre les filles dans le couloir. Le flic leur montre la photo. Clarisse éclate en sanglots, Pauline se montre plus costaude mais le reconnaît tout de suite aussi. « Ça fait un moment qu'on cherche à le coincer. Il a déjà une affaire de prostitution sur le dos. » Je me rends compte que je l'ai vraiment échappé belle.

Clarisse, au moment des faits, avait dix-neuf ans, un visage d'ange et des cheveux blonds de Scandinave. Elle était étudiante. C'était la voisine de Pauline. Ce soir-là, elle allait voir son petit ami à Sarcelles. À la gare, K. essaie de la draguer. Comme elle l'ignore, il lui colle une baffe et essaie de lui soulever son tee-shirt. Elle parvient à se sauver et se réfugie dans un magasin. K. se tire. Le lendemain, Pauline va voir son copain à Sarcelles. À la gare, il lui fait la même salade qu'à Clarisse. Mais Pauline est une femme, elle n'a pas peur. Elle sait se défendre et fait de la boxe française.

« Elles ont toutes deux réussi à se sauver, pas toi! me dit-on. T'as pas pu te sauver? Pourquoi tu t'es pas davantage défendue? Tu l'as bien voulu non ? » Je laisse ces petites phrases de merde s'insinuer dans mon esprit. Elles détruisent le peu d'estime que j'ai pour moi et font grossir le paquet de culpabilité que je trimballe déjà. Pour l'enquête, les souvenirs de Pauline ont confirmé mes propos. Il se trouve que le jour où je me suis fait agresser dans le train, Pauline était à l'étage du bas et entendait mes cris. Elle pensait que c'était un couple qui se disputait... L'enquête est lancée.

C'est un inspecteur qui me raccompagne à la maison, c'est sa route. Pendant le trajet, il essaie d'obtenir des renseignements sur les petits trafics de K. et de Jaïd. « Je ne suis au courant de rien, tout ce que je sais, c'est ce qu'ils m'ont fait. Ça me suffit ! » Il est vingt-trois heures quand je rentre à la maison, mes parents regardent la télévision. Je suis naze. Les questions des flics m'ont épuisée. À la maison, c'est toujours la même tension. Pas un mot pour moi. Pas une question pour savoir comment j'ai vécu l'épreuve du commissariat. Pas une parole de réconfort, pas un regard, pas une attention. Je reste seule dans cette indifférence avec mon gros paquet sur le cœur.

Plus tard, ma mère téléphone au commissariat pour connaître la procédure. À aucun moment elle ne me pose de questions directes sur mon état psychologique, sur mes sentiments par rapport à tous ces événements épouvantables pour une gamine de quatorze ans. Quant à mon père, il n'exprimera jamais rien. Je n'ai pas envie de comprendre pourquoi ils ne font pas cet effort pour moi.

Un plateau-repas m'attend dans la cuisine, comme un chien sa gamelle. Je me sens désespérément seule face à mon assiette. Rejetée. Inutile. Sale. Coupable. Je me fais toute petite, je fais le moins de bruit possible. C'est comme si je n'étais pas chez moi. D'ailleurs, je ne me suis jamais sentie chez moi ici. Invisible, minuscule, muette, je sens planer l'hostilité de mon père, son mépris, sa colère. Le silence est lourd, il me fait mal. Je mange ma gamelle, malgré la boule qui m'obstrue la gorge. Je sens qu'elle s'installe en moi, cette boule, qu'elle gagne du terrain, perfidement. Elle ne me quittera plus.

Le lendemain, ma mère me réveille pour aller au lycée, comme si de rien n'était. Alors moi aussi, je fais comme si de rien n'était... En allant au lycée, je tire des plans sur la comète. Je vais me battre, ne pas laisser K. gagner. Je serai la plus forte. J'aurai mon diplôme, une belle situation, une belle vie, malgré tout ce gâchis et les horreurs que je vis. Je me cramponne à cet espoir insensé. Je ne me permets pas un instant le découragement.

Je ne savais pas, alors, que j'avais le droit de me plaindre, le droit de pleurer, de hurler. Non, au lieu de cela, je me ratatine, je me fais la plus petite possible. Je ne veux pas gêner, je n'ose pas affronter leurs regards, aborder le sujet. Je reste le plus souvent dans ma chambre, j'ai peur de leur faire face. Je ne sors que pour aller aux toilettes, boire et manger. Le fossé entre nous s'agrandit. Mes parents, de qui je suis en droit d'attendre compréhension, protection et amour, ferment les yeux sur mon désespoir. Je n'ai droit à rien. En face de moi, c'est le vide, le silence, un mépris glacial. On fait comme si je n'existais pas, comme si rien ne s'était passé. Tout doucement, je meurs par le regard que l'on ne me donne pas.

Mathieu

À la suite de la plainte que j'ai déposée, une question se pose : oui ou non faut-il prendre un avocat? Mes parents en discutent sans moi, comme d'habitude, et ma mère vient dans ma chambre me dire ce qui a été convenu. C'est toujours ainsi qu'ils procèdent. La seule fois où ils ont voulu jouer les parents psychologues, genre «Je suis face à eux pour discuter», ça s'est terminé par un mollard dans la gueule — c'est culturel chez nous, le mollard — et dès que j'ouvrais la bouche pour répondre, je recevais une insulte ou une beigne.

Ma mère est donc là, dans ma chambre, je l'entends dire : «Tu sais... on n'est pas sûrs de gagner... l'obtention de dommages et intérêts, l'avocat... ça coûte des sous.» Je n'écoute déjà plus. J'en ai rien à foutre de gagner. C'est pas une partie de foot, merde! Oh! Réveille-toi! Il s'agit de gars qui m'ont violée et torturée, qui m'ont profondément humiliée, qui ont déjà sûrement foutu ma vie en l'air et toi tu me parles de dommages et intérêts!

Ce que je comprends, c'est que je ne serai pas défendue correctement, que l'autre en sortira impuni ou presque, que j'ai porté plainte pour rien, ouvert ma bouche pour rien et peut-être risqué ma vie pour rien. Si elle pense qu' « on est pas sûrs de gagner », c'est qu'elle ne me fait pas confiance. Peut-être pense-t-elle que j'ai menti? Je sens que je n'ai définitivement plus confiance, moi non plus, en ces gens qui se disent mes parents, ces gens qui me jugent, me méprisent, me ferment ma gueule, me ferment leur porte et leur cœur...

Malgré la cruauté de ce que je vis, je m'accroche à l'école. Au moins, là, j'ai un cadre stable. J'y continue ma comédie, je suis légère, agréable et souriante. Pourtant, au fond de moi, la plaie est ouverte. Chez moi, on me reproche de ne pas être effondrée. Ma mère pense que je suis anormale de ne pas être plus affectée que cela par les événements. C'est le comble! Elle parvient à me rendre coupable de cela aussi... Je me pose des questions : peut-être suis-je un monstre d'indifférence? Je ne sais pas encore qu'étouffer ma douleur est la seule protection possible.

Un peu plus tard, ma mère me parle d'une association qui défend le droit des enfants. Qui l'a contactée? Je n'en sais rien. En tout cas, c'est gratuit. Je vais consulter une avocate à Colombes, madame B. Elle a des cheveux courts, châtain clair, un visage austère et une voix rauque. J'espère beaucoup de cette entrevue. Voilà une personne qui défend la cause des enfants, je vais enfin être comprise ! Ça commence mal, à la première phrase, elle me glace. « C'est pourquoi ? » interroge-t-elle d'un air parfaitement indifférent. On se croirait dans une épicerie. « Deux kilos de tomates ! » ai-je envie de répondre.

En fait, je lui explique la situation en prenant sur moi, car ma mère ne sait pas comment commencer. « Ah ! Tu as quel âge ? » Elle ne me regarde même pas quand elle me parle. Elle a manifestement l'art de mettre en confiance... Moi qui m'attendais à une écoute de spécialiste, je suis servie ! Quand je pense que je vais mettre mon destin entre les mains de cette bonne femme ! Je voudrais crier que ce n'est pas elle que je veux ! Grosse pute ! « Quatorze ans. » Elle relève la tête et me regarde, elle enchaîne direct : « Mais à quatorze ans, on a rien à faire dehors à cette heure-là ! » Blablabla et blablabla... je connais la musique ! Elle croit sans doute que je ne culpabilise pas assez ! Connasse !

Je me tais. Je ne l'écoute déjà plus et ne l'écouterai pas. J'encaisse, mais je me sens anéantie. D'un seul coup, tout m'indiffère. Je sens que je meurs un peu plus. Encore un espoir qui s'effondre. Quand je pense qu'elle a fait des années d'études, qu'elle défend les enfants agressés sexuellement et que ses commentaires ne dépassent pas le niveau de ceux de mes parents, ça me tue. L'association qu'elle représente est super connue. Il y a même une grande actrice française qui en fait la pub. C'est une association qui se porte partie civile mais ne défend pas l'enfant. Après cet épisode, je ne peux plus regarder cette pub sans avoir envie de vomir. « Oui, oui, venez aider les enfants maltraités... Oui, oui, il faut dénoncer... Oui, oui, nous avons des avocats qui défendent le droit des enfants ! » Arrêtez de prendre les gens pour des cons ! Vous croyez que ça suffit de demander des tunes et de donner un numéro de téléphone pour se donner bonne conscience ! Moi, j'ai cru de bonne foi que ces gens-là allaient me défendre, j'ai mis ma confiance et ma vie d'enfant maltraitée entre leurs mains. Pour quel résultat ? La suite de mon histoire va le montrer.

Entre-temps, j'ai des nouvelles de l'enquête. J'apprends que l'on n'a toujours pas mis la main sur K., après un mois et demi de recherches. Cela veut dire que je suis très exposée. Je peux tomber sur lui n'importe quand. Les coups de téléphone anonymes n'arrêtent pas. Parfois, on m'insulte, parfois on se tait. C'est un stress permanent, que j'emmagasine avec le reste. Mon état de choc me laisse paradoxalement de l'énergie pour ma « vie sociale ». J'arrive à tenir au lycée, un certain temps. Pourtant rapidement, je craque. Trop de risques lors des trajets. J'ai peur, je n'ai plus confiance en qui que ce soit. De plus, il semble que personne ne puisse rien pour moi. Les coups de téléphone à la maison me rendent dingue. Chaque fois, ils créent un climat de tension dont on me rend responsable. « Tu vois la vie que tu nous fais mener avec tes conneries ! » me lance-t-on chaque fois.

Dans mon quartier, je vois des mecs qui ne sont pas d'ici tourner, rôder. Je sais qu'ils me cherchent. Quand je passe près d'eux, je tourne la tête, je me cache, j'ai peur. Je n'ai pas d'échappatoire. D'un côté, il y a les bêtes féroces qui rôdent. De l'autre côté, les gens qui sont censés me protéger, ma famille et l'avocate, m'enfoncent la tête sous l'eau un peu plus chaque jour. Mes parents me tuent à petit feu avec leurs petites phrases assassines pleines de sous-entendus, avec leurs reproches, avec leurs regards qui en disent long. Je voudrais pouvoir fuir très loin, changer de vie. Je rêve d'un coup de baguette magique sur ma vie de merde. En attendant, je me tire dans mes rêves. Il n'y a que douceur, justice et compréhension.

Heureusement que j'ai le lycée. Au moins, j'y rencontre une gentillesse qui me réconforte. Le jardinier, la concierge, les dames de service, le cuisinier et l'infirmière sont mes amis. Le cuistot me gâte à la cuisine, l'infirmière à l'infirmerie où je suis souvent pour des migraines. À chaque visite, elle m'offre un chocolat chaud et nous discutons longuement. En fait, je suis comme un chien errant en mal d'affection. J'ai terriblement besoin de ma petite niche d'affection, de mon écuelle de caresses. Je suis une mendiante d'amour. Je suis tellement en manque ! À quoi ne suis-je pas prête pour recevoir de l'attention, de la reconnaissance et de l'affection ! Je suis capable de n'importe quoi. Jouer les gogoles, faire la bébête ou le clown. Je veux plaire, je veux qu'on m'aime. Pour faire mentir cette petite voix en moi qui me répète sans cesse ce que disent les autres : « Tu es une salope, une petite pute, une sale môme ! »

C'est Mathieu qui m'a remarquée. Il est moitié vietnamien, moitié kabyle : beau mélange. Il a des yeux noirs en amande et une peau mate, couleur caramel. C'est un baba-cool qui kiffe Renaud. Chaque fois qu'il me voit il me fredonne : « Ma gonzesse, celle que j'suis son mec, ma princesse, celle que j'suis avec. » Pour lui, je suis belle, je suis étonnante, je suis merveilleuse. Enfin ! Quelqu'un m'aime. Il me fait aimer des livres, me fait découvrir un autre monde, un monde où il n'y a pas de violence, pas de haine.

Au début, nos yeux se croisent dans les couloirs, dans la cour, à la cantine. Puis, doucement, il s'introduit dans mon cercle d'amis. Enfin, un après-midi, après les cours, il m'attend à la sortie. Il veut faire un bout de chemin avec moi. Finalement, nous passons tout l'après-midi ensemble dans un parc, à parler littérature, musique, cinéma. Nous parlons de notre avenir et refaisons le monde. Je m'en souviens parce que je savais que j'allais me faire défoncer en rentrant. L'heure tournait... Après cet après-midi, je n'ai déjà plus envie de le quitter, je veux rester avec lui. Mon manque d'amour me pousse dans les bras du premier qui manifeste de l'intérêt pour moi. J'y crois. Ils ont bousillé plein de choses en moi, mais pas ma capacité à aimer, pas ma foi en l'amour. Je reste une grande accro d'amour, envers et contre tout.

Mathieu est doux, attentionné. Il me fait rire, il me fait oublier. Il me caresse les cheveux en m'appelant sa princesse, me regarde comme une merveille de la nature. Je me sens bien, entourée de ses bras, j'oublie tout. Ma vie est coupée en deux : le jour, c'est le bonheur avec Mathieu. Le soir, c'est ma misère. L'animal blessé que je suis devenue réapparaît avec mes parents, mes pensées lancinantes, ma peur des menaces et de K.

Mathieu a deux ou trois potes au lycée. Le plus sympa c'est Pat, un grand hardos, blond platiné avec de grosses pompes et des chaînes partout. Pat délire sur mon compte. Il fait une BD absolument bidonnante dont je suis l'héroïne. Il y a Fil Back, un autre pote. Son look est pas mal aussi. Il a les cheveux en pétard et des vêtements noirs comme le chanteur de Cure. Trop gentil, lui aussi. Pat et Fil, je ne les oublierai jamais. Ils ont fait rentrer le soleil dans ma vie de misère et ils m'ont ouvert leur porte toute grande. De temps en temps, on se retrouve chez Fil pour casser la graine, écouter du son et rigoler. Super petite détente après les cours.

Un soir, on est tous là, Mathieu, Fil, Pat et moi. On rigole, on mange en écoutant de la musique. Tout à coup, j'éclate. Je dis que je ne veux plus rentrer chez moi. Que j'ai peur, que je ne veux plus vivre ce que je vis : être aux abois tout le temps. Je raconte toute mon histoire. Mathieu a les larmes aux yeux. Pat reste silencieux. Fil me propose de rester chez lui, son père n'est jamais là et de toute façon, il est très cool. Il est tard, Pat et Mathieu décident de rentrer. Mathieu me promet de passer avant d'aller en cours. Je reste chez Fil.

Au début, je vais en cours trois ou quatre jours, ensuite, je reste là, je n'ai plus envie de sortir, j'ai trop besoin de reposer mon esprit. Je suis bien chez lui, il est si gentil avec moi. Mathieu vient me voir tous les jours. Puis, il décide, lui aussi, de ne plus rentrer chez lui, de rester avec moi, pour me soutenir. Il ne veut plus me quitter. Il ne va plus en cours non plus et nous restons toute la journée à écouter de la musique, à manger, à dormir et à se faire des câlins. On est bien tous les deux, on est heureux. Pat vient nous voir tous les jours, il nous apporte des nouvelles du bahut. Ça commence à jaser : « Où sont Mathieu et Sam ? » Nous décidons de partir de chez Fil parce que ça craint.

Mathieu habite à Gagny et a quelques potes là-bas qui pourraient nous loger tous les deux. On lui parle d'Adeline : c'est une petite bouboule marrante de dix-huit ans, genre Valérie Mairesse, en plus costaud. Elle est gâtée pourrie, Adeline. Elle habite un super pavillon et son père lui a aménagé la cave, qui fait toute la surface de la maison, en petit appartement tout confort. Le truc mortel ! Elle nous trouve « mignons tous les deux » et accepte de nous héberger. Il faut dire aussi que mon histoire l'a secouée. Elle a envie de m'aider. Elle héberge aussi un autre gars, Pascal, qui déserte son service militaire. Je comprends qu'il la saute en échange du toit qu'elle lui offre. Adeline est amoureuse et passe ses soirées à attendre Pascal. Elle crise et je la console des journées entières. Pascal rentre de temps en temps et la calme sur l'oreiller.

Nous commençons à manquer sérieusement d'argent. Pascal a une idée « géniale » : la cambriole de pavillons. Il va travailler en duo avec Mathieu. Tous les soirs, ils partent à la pêche et rapportent ce qu'ils trouvent : postes de télé, vidéos, vêtements, nourriture. Nous ne sommes conscients, ni les uns ni les autres, de l'escalade qui s'annonce. Nous sommes devenus des « Bonnie and Clyde » bas de gamme. Avec Adeline, nous comptons les billets de la revente. Tout cet argent nous galvanise, Mathieu et moi. Nous rêvons de nous installer dans le Sud, de faire des enfants au soleil. Nous rêvons de mettre un coup de pompe dans tout ce qui nous entoure. Nous rêvons de tout recommencer ailleurs. Mathieu veut à tout prix me voir heureuse. En attendant, je mets des billets de côté pour nos projets. Billets que je claque dès le lendemain..

8

Fuites

Un soir, nous sommes tous réunis. Petite ambiance tranquille. Je suis dans les bras de Mathieu et je discute avec Samir, un nouveau pote. On blague, on rigole, parce qu'on entend la très forte réconciliation sur l'oreiller d'Adeline et de Pascal. On sonne à la porte. J'essaie d'interrompre Adeline, sans résultat. Elle me dit d'y aller. J'hésite, car je suis en fugue. J'y vais quand même et je me retrouve devant le père de Mathieu. Je reconnais les origines vietnamiennes de Mathieu. Il est nerveux, son papa. Il demande à parler à Adeline.

« C'est moi, lui dis-je avec culot.

— Je cherche mon fils Mathieu, on m'a dit qu'il serait là, avec une certaine Samira.

— Je ne connais ni Mathieu ni Samira. Et de toute manière, je n'héberge personne ! Qui vous a dit ça ?

— J'ai pas à te le dire. Alors, il est là, mon fils, avec l'autre salope ? Parce que c'est pour son cul

92

qu'il est là, c'est avec son cul qu'elle l'attire, cette petite salope! Laisse-moi rentrer que je voie ce qui se passe là-dedans!»

Enculé! Comment il m'insulte celui-là. Je me prends toutes ses injures dans les dents. Et s'il avait raison, le père de Mathieu? Si je n'étais après tout qu'une petite salope? Je garde mon contrôle pour ne pas griller la situation. Je le vois mal entrer dans la baraque pour le moment, avec Mathieu qui est bien présent, Adeline qui fait des galipettes et moi qui ne suis pas Adeline... Le problème, c'est qu'il veut entrer. Je m'y oppose. « Puisque c'est ainsi, je reviendrai avec la police! » Au même moment, Adeline, qui a enfin terminé ses cabrioles, se pointe.

« Et vous, qui êtes-vous? demande le père de Mathieu.

— Adeline bien sûr! »

Je suis sérieusement dans la merde. Je fais les gros yeux à Adeline et m'en tire par une pirouette.

« En fait, je m'appelle Nora. Comme Adeline était occupée, j'ai cru bien faire en la remplaçant!

— Qu'est-ce que c'est que toutes ces salades? hurle le père de Mathieu qui n'en croit pas un mot.

— Mais si, monsieur, ce que dit Samira est vrai! lâche Adeline qui vient d'oublier que je me nommais Nora.

— Espèces de sales petites menteuses! Vous vous foutez de moi depuis le début, je suis sûr que Mathieu est là. Vous ne perdez rien pour attendre, je reviens tout de suite avec les flics. Là, on verra si vous trouvez ça drôle! Salope, c'est à cause de toi, tout ça! C'est pour ton cul qu'il est là! Petite putain! »

Maintenant qu'il m'a grillée, je l'insulte aussi : « Fils de pute! Enculé! » Je lui sors ce que j'ai de mieux dans mon répertoire. Il est fou de rage. On n'est pas dans la merde!

Mathieu et moi décidons de partir. Mais où? On n'en sait rien, mais on part quand même. En quelques minutes, nous rassemblons nos affaires et embrassons Adeline. À ce moment-là, on sonne à la porte. Adeline va voir par le jardin et nous prévient que ce sont les flics. Comme nous ne pouvons pas sortir par-devant, nous nous sauvons par le jardin. Notre seule échappatoire, ce sont les toits des trois ou quatre maisons voisines. Mathieu m'aide à monter la première. Une fois là-haut, j'attrape les sacs qu'il me jette, puis il me rejoint. Nous nous faufilons dans la nuit, de toit en toit, serrant contre nous nos gros sacs. On pourrait croire qu'on a fait ça toute notre vie.

« Ça donne sur une rue derrière, on prend la rue. Ensuite, on marchera jusqu'à la gare de Chelles. OK? » J'acquiesce silencieusement et je le suis comme un petit soldat en commando. Je lui fais toute confiance. Je le suivrais au bout du monde. Nos petits cœurs de Bonnie and Clyde battent très fort. Nous prenons le train, puis arrivons gare de l'Est, morts et complètement paumés. Où aller ? Que faire ? Nous nous accrochons à nos rêves. On ne se quittera pas, ils peuvent dire ce qu'ils veulent. On va partir ensemble... Et nous voilà déjà dans le Sud au soleil, tous les deux, à regarder la mer.

En même temps, nous comptons nos tunes. Pas de quoi dépasser Juvisy. Toutes les économies ont été englouties dans la bouffe, les clopes, le shit pour les copains. On peut tout juste se payer un Giant au Quick de la gare de l'Est. Cette situation ne tient pas debout, mais aucun de nous deux ne veut se rendre à l'évidence. Nous n'y sommes pas prêts. On y croit à notre histoire. On veut à toute force y croire.

Nous arrivons chez Adeline complètement cassés et n'avons qu'un désir : dormir. Adeline nous met quand même au parfum. Le père de Mathieu et les flics sont passés. Ils ont constaté que nous n'étions pas là et ont convoqué Adeline au poste le lendemain. Nous sommes tous dans la merde. Nous sommes trop crevés pour réfléchir, la course sur les toits nous a épuisés. Nous nous endormons serrés l'un contre l'autre comme des petits oiseaux.

Vers six heures trente du matin, j'entends du bruit dehors. J'ouvre les yeux. Je vois le volet s'ouvrir et une main casser le carreau. Mon cri réveille Mathieu. Je cours me cacher dans la douche. De là, j'entends une voix crier « Où elle est ma fille ? » C'est ma mère. Elle a réussi à me retrouver. Elle gueule, elle retourne la maison et me trouve dans la douche. Je suis prise d'une formidable envie de rire et quand elle soulève le rideau, j'explose de rire. Je ris à m'en faire péter les abdos, je ne peux plus m'arrêter, j'en pleure. C'est nerveux, sans doute. Mathieu et Adeline ne savent pas s'ils doivent rire ou pleurer. C'est vrai que la situation, bien qu'assez pathétique, a quelque chose de grotesque. Ma mère est assez mortelle ! Rentrer chez des gens en cassant un carreau, mettre tout ce bordel avec autant d'autorité ! Faut oser ! Elle aurait dû être flic, ma mère !

Ma mère sait qu'elle marche sur des œufs. Il ne faut pas qu'elle me braque si elle veut me ramener à la maison. Je crois que de toute façon je n'ai pas le choix. Il faut que je rentre et Mathieu aussi. Après des heures de discussion, je prends la route à contrecœur. Je rentre amère, j'y avais cru à mon évasion sentimentale. Je rentre la peur au ventre. Ma mère me prend la tête et me joue du pipeau. « Tout va changer... Nous serons plus cool avec toi... Mais, tu sais, il faudra que tu y mettes du tien, parce que tu n'es pas une enfant facile... Vraiment, quand j'y pense, je ne te comprends pas. Après ce qui t'est arrivé, je croyais que tu resterais tranquille. Et voilà que tu refugues et que tu sors avec un autre gars. Tu n'es pas dégoûtée des garçons après ce qui s'est passé ? »

Elle n'a rien compris. Elle n'a pas compris que j'avais peur que K. et sa bande exécutent leurs menaces, qu'ils s'en prennent à eux ou à mes petites sœurs. La seule manière de les protéger et de me protéger moi-même est d'être ailleurs, loin de la maison. Mon père, ce soir-là, n'a eu qu'un mot : « J'te l'avais bien dit que c'était une salope ! » Il avait résumé à sa manière ma belle histoire d'amour.

Dur, le retour au lycée. Tout le monde est au courant et il faut assumer. Les élèves trouvent notre histoire romanesque à souhait et les réactions sont chaleureuses, un brin admiratives. En revanche, pour les profs, nous avons manqué plus d'un mois de classe et nous avons droit à un sermon. À moi, ils me donnent une deuxième chance parce que tout s'est su : le viol, l'enquête, etc. Après ces événements, Mathieu devient de plus en plus froid à mon égard, et j'en souffre beaucoup. Il me chambre, me frappe même. Je ne comprends rien, mais je ne me laisse pas faire. Il a subi, à coup sûr, un lavage de cerveau balèze par son père.

C'est fait, la police a arrêté K. et ses deux complices. Ça ne change rien à ma peur puisqu'on essaie toujours de m'intimider pour que je retire ma plainte. Je rencontre des mecs ou des filles, au hasard, qui me disent que je n'aurais pas dû dénoncer K. et sa clique, et que j'ai intérêt à faire attention à moi. D'autres fois, des gars qui doivent me connaître me frôlent et me crachent à la figure. C'est insupportable, au point que j'hésite à sortir. Je me sens comme un boxeur qui se prend droite sur droite sans pouvoir se relever, reprendre son souffle et riposter. J'encaisse. J'en ai pourtant parlé aux flics des menaces, des coups de fil, des rencontres. Ils ne m'ont pas prise au sérieux. Ils ont pensé que la peur me rendait excessive et m'ont rassurée sur leur protection.

Après l'arrestation de K., je suis convoquée au commissariat de Pontoise. Ma mère ne trouve rien de mieux que de m'y envoyer avec mon père pour, dit-elle, que nos liens se resserrent. Intéressant, non ? Dans le train qui m'emmène à Pontoise, je suis assise face à lui. C'est une torture pour moi de faire ce trajet avec lui. À l'aller comme au retour, pas un mot, pas une attention, seulement son regard furieux. C'est comme si j'allais à l'abattoir. Je déborde d'émotions et de sentiments qui s'entremêlent. « Fautive », « sale ». Ces mots m'imprègnent, ne me lâchent pas. À cela s'ajoute la peur de ce qui m'attend là-bas. Arrivée au commissariat, on m'explique qu'on a arrêté les trois complices et que je vais devoir les reconnaître. Je refuse, je ne veux pour rien au monde me retrouver face à eux. On m'explique que cela se passe derrière un miroir sans tain.

Mon père m'accompagne mais il n'est pas au courant de tout. Il ne sait pas qu'ils étaient trois d'une vingtaine d'années, que ce sont des gens de couleur ni où cela s'est passé. On n'est pas curieux chez moi! J'observe ses réactions : ses mâchoires se crispent mais rien ne sort de sa bouche. Je sens que je le dégoûte et que je le déçois profondément et définitivement. J'ai honte de ce qu'il entend et cela décuple ma culpabi lité. Oh! merci maman, pour ta bonne idée.. C'est fou ce que cette épreuve resserre nos liens!

Je me retrouve dans une salle sombre avec un petit rectangle au milieu du mur : c'est le miroir sans tain. Deux flics m'accompagnent et me disent de prendre mon temps, de bien regarder, de dire si j'ai la moindre hésitation. Dès qu'il entre dans la pièce, de l'autre côté, je le reconnais immédiatement. Je le reconnais malgré les chan- gements opérés sur lui. Il a laissé pousser ses che- veux et sa barbe, mais son regard n'a pas changé, il me terrifie toujours autant. Aussitôt, mes jambes se mettent à trembler. Je reconnais aussi les deux autres, bien qu'ils soient mélangés à un groupe de flics. Même avec les menottes et enca- dré de flics, K. me terrorise. J'ai l'impression que son regard me fixe, malgré le miroir sans tain, et je lis dans ses yeux tout le mal qu'il peut me faire.

Je fais mes dépositions puis je peux rentrer chez moi. Ce que je viens de vivre a été encore plus pénible du fait de la présence de mon père. C'est une autre blessure qui reste au fond de moi. Le soir, à la maison, j'entends mon père discuter en arabe avec ma mère. Le ton est méchant et dur. Je n'en peux plus de subir cette hostilité permanente. Alors, je rapetisse encore un peu, tapie dans ma chambre. Je ne veux pas croire que mes parents soient capables de me faire autant de mal. Ce n'est pas possible. Ils ne me regardent pas, ils ne m'aident pas, ils me fuient.

Aujourd'hui, je comprends que j'ai calqué mon comportement sur le leur. À aucun moment, je n'ai fait attention à moi. Je n'ai eu pour moi ni tendresse ni respect. J'ai passé mon temps à me juger et à me détester. Je me suis constamment fuie. Pouvais-je faire autrement ? Personne ne m'avait jamais montré que je méritais mieux. Comment aurais-je pu ressentir pour moi un peu de positif alors que mes parents me renvoyaient une image si noire, si sale ? J'avais fait totalement mienne l'image qu'ils avaient de moi.

9

Galères

Depuis la confrontation, mon père ne me parle plus, ne me frappe même plus, il ne veut plus me toucher. Je suis trop sale à ses yeux. Je ne comprends pas pourquoi il a voulu m'accompagner.

Nous sommes le 7 janvier, c'est le matin. Je suis dans ma chambre, je dessine. Ma mère est au travail, mes sœurs à l'école. Je suis donc seule à la maison avec mon père. Tout à coup, la porte s'ouvre violemment. Mon père se tient droit devant moi, raide comme la justice, la main sur la poignée de la porte. Il respire fort, c'est mauvais signe. Il me regarde un instant avec des yeux pleins de haine, puis il éclate :

« Tu te casses, tu fais ta valise ! Tu me dégoûtes, tu m'écœures ! Casse-toi vite d'ici et n'y remets plus jamais les pieds !

— ... »

Il me faut un petit moment pour comprendre ce qui vient de se passer. Je reste interdite. Je suis comme les gens qui viennent de voir une sou-

coupe volante et se demandent s'ils n'ont pas
rêvé. Ai-je bien entendu? Dégoûter, écœurer, ce
sont bien les mots qu'il a employés? Je n'y crois
pas. Avec ces deux mots, il vient de me briser, de
m'éclater en morceaux. Alors, il a attendu d'être
seul dans la maison avec moi pour me dire ce
qu'il pense de moi! Courageux, mon père! En
fait, il n'y a pas de honte à le dire, même si dans
notre culture c'est « blasphème » de critiquer ses
parents, mon père est un « tetrai », un traître,
quoi! Il faut l'admettre.

En ce qui concerne le « casse-toi! », j'ai l'habitude. J'ai entendu ça toute mon enfance. D'abord,
c'était pour ma mère. Quand il était beurré, il la
jetait dehors à poil, avec moi dans les bras. On
passait notre nuit au commissariat ou dans les
foyers d'accueil. Puis j'ai pris la relève. Il a commencé à me foutre dehors à n'importe quelle
heure de la nuit, en chemise de nuit, à moitié nue.
Aucune importance pour lui, du moment qu'il
dormait dans son lit chaud. Il me réveillait à
coups de pompe dans le ventre et me criait de me
casser, comme ça, parce qu'il en avait après moi,
pour un rien, pour une bêtise. Cela se passait surtout le vendredi, son jour de sortie et de picole.
C'était sa façon de vivre ce jour sacré dans notre
culture! Le plus paradoxal, c'est quand il me met-
tait dehors parce que j'avais fugué. Ces jours-là,
c'était : « Casse-toi d'où tu viens! »

102

Si ce n'était relié à de si mauvais souvenirs, je pourrais trouver cela comique. Le vendredi, je m'attendais à passer la nuit dehors, c'était devenu presque une habitude. Je ne compte pas les fois où j'ai dormi dans des caves ou des escaliers. Et quand il faisait trop froid, pour me réchauffer je marchais toute la nuit. Généralement, je me tapais la ligne droite qui sépare ma ville de la porte de la Chapelle. Cela faisait une bonne dizaine de kilomètres. Je faisais l'aller-retour, toute seule dans le froid, les mains dans les poches pour les réchauffer. Parfois, je rentrais au petit matin. D'autres fois, je dormais dans le métro. Sur la ligne Balard-Créteil, je pouvais dormir tranquille car c'est la plus longue. Ensuite, j'allais voir ma mère au boulot. Je la tapais de cent balles et repartais faire ma journée. C'était devenu normal. J'avais entre onze et quatorze ans. C'était ma vie. Je ne me posais pas de questions. Aussi parfois, je prenais la porte sans qu'on me le demande.

À onze ans, mes parents ont commencé à tout m'interdire. Je n'avais plus le droit d'aller jouer dehors, ni d'avoir des copines et encore moins des copains, ni de recevoir d'appels téléphoniques. Je n'avais plus aucun droit, je n'avais plus que des devoirs. On ne me parlait plus que de l'école, de tâches ménagères ou de la surveillance de mes petites sœurs. Ma mère me harcelait. Elle était sans cesse sur mon dos et me faisait recommencer cinq ou six fois la même chose parce que ce n'était pas fait comme elle le faisait, elle. « Samira ! Viens ici ! Tu te fous de ma gueule ? C'est pas comme je t'ai appris. Tu recommences tout et je te regarde faire ! » Elle était capable de vider totalement une armoire, si je ne l'avais pas rangée à sa manière. Elle me soûlait de paroles tout en me montrant pour la énième fois comment il fallait faire. Pour me soûler, elle me soûlait. Elle me reprochait tout, mon attitude, mes paroles, même celles qui dataient de trois semaines. Tout y passait. Elle avait l'art de l'amalgame et une énergie dingue.

« À ton âge, j'avais pas ta liberté, tes vêtements. Tu en as de la chance ! Ma mère, c'était tout pour moi, c'est pas comme toi ! Je lui faisais ses papiers, je l'aidais pour tout. Jamais j'aurais osé me conduire comme toi. C'est pas comme ta cousine Yasmina, elle écoute sa mère, elle ! », etc., etc. Ça durait des heures, elle me faisait bouillir. Quand mon père était absent, je lui répondais : « Je suis pas ta bonne ! Je m'en fous de ma cousine trucmuche, moi, je suis moi. Arrête de toujours me comparer aux autres. Et puis, je m'en fous de ta vie, c'est pas celle que je veux ! » Pour qu'elle me fiche enfin la paix, je devais contre-attaquer plus fort pour qu'elle finisse par craquer. C'était un jeu dangereux, une surenchère de violence.

En fait, ma mère aurait voulu m'élever comme elle avait été élevée au bled, à la dure. Chez nous, c'est comme ça, les filles s'en prennent plein la gueule sans broncher. Je sais que ma mère a eu la vie dure, qu'elle a été victime d'une culture où la femme est traitée comme un chien. Je sais qu'elle n'a eu ni amour, ni considération, ni la moindre affection. Je lui en veux tout de même de son silence. Je lui en veux d'avoir laissé mon père nous faire subir sa violence. Je lui en veux de n'avoir rien dit quand il me battait ou me faisait passer des nuits dehors. Aujourd'hui, elle ne s'en souvient pas, c'est pratique ! Je lui en veux de ne pas s'être battue pour moi, d'avoir laissé se faire ma dégradation psychologique, de n'avoir rien fait pour me comprendre. Je lui en veux de n'avoir pas été pour elle la prunelle de ses yeux.

Mon père avait toutes les excuses, je n'en avais aucune. Elle me demandait de le comprendre, parce qu'il n'avait pas appris à faire autrement. Ce n'est pas aux enfants de comprendre les adultes, et j'étais bien trop dans ma souffrance. Je ne pouvais que m'insurger contre cette éducation qui prône la taloche facile, les coups à la place des mots, les non-dits, l'injustice criante à l'égard des filles. Pour dire ma révolte, je n'avais que les fugues et les conneries. J'ai grandi sans le filet qui m'aurait évité de me faire mal et sans tuteur pour m'aider à pousser droit. Je suis une orpheline. Je n'ai ni attache, ni lien, ni structure. J'ai appris à m'en sortir seule en me blindant. Je me suis faite avec les moyens du bord, comme j'ai pu.

Excédée par le climat de répression permanente qui régnait à la maison, j'ai commencé à fuguer. Lorsque j'ai fait ma première fugue, à onze ans, une copine m'a hébergée. Ma mère m'a retrouvée au bout d'une semaine et elle a voulu porter plainte contre la mère de ma copine pour détournement de mineure. Je ne voulais pas faire d'histoires à cette dame qui m'avait comprise et accueillie et je suis rentrée à la maison. Comme ma mère me prenait la tête sur tout le chemin du retour avec ses plaintes habituelles sur mon comportement, je me suis lâchée.

« Je ne veux pas rentrer ! Je n'en peux plus de vivre à la maison avec ce mec qui ne sait que hurler et donner des coups. Je ne veux plus qu'il me touche !

— D'accord, il te touchera plus. Mais alors, toi aussi, tu fais un effort !

— Non, j'ai pas à faire d'efforts. Il n'a qu'à se casser, lui, il me prend trop la tête !

— Ah ! C'est ça que tu veux, tu veux briser mon couple. Tu n'es qu'une petite peste, une égoïste. Non, mais, pour qui te prends-tu ? C'est pas toi qui commandes. Allez, tu rentres maintenant !

— Va te faire foutre ! Tu veux que je rentre pour faire ton ménage, c'est tout. Et si c'est pour encore tout m'interdire, je ne rentrerai pas. »

Alors, contre toute attente, elle a sorti une bouteille de gaz lacrymogène et m'a gazé toute la figure. Je hurlais de douleur, mais j'ai quand même réussi à lui mettre un gros coup de pompe dans le tibia. Alors elle m'a plantée là et s'est sauvée. Je ne voyais plus rien, j'avais le visage en feu. Mes yeux me brûlaient et plus je les frottais, pire c'était. Au bout d'un quart d'heure, j'avais un peu récupéré et je suis allée me réfugier chez la copine que je venais de quitter. Sa mère m'a soignée très gentiment. Elle était scandalisée. J'avais honte, j'avais tellement honte !

Le jour suivant, on m'a parlé d'une personne qui aidait les jeunes. Je suis allée la voir. Elle s'appelait Édith. Elle était jeune, grande et brune, les cheveux à la Kim Wilde. C'était la mode. Elle m'offrit à boire et je lui expliquai mes soucis. Elle me proposa de dormir chez elle pour cette nuit, avant de trouver une autre solution. En attendant, elle me fit couler un bain et m'offrit à dîner. Je me sentais bien chez elle, j'aurais aimé y rester toute la vie. Il y avait des tableaux et des instruments de musique partout. Édith était artiste et son copain musicien.

Le lendemain, ils décidèrent tous les deux d'aller au commissariat pour faire une main courante, attestant que j'étais chez eux. Ils prirent rendez-vous avec un juge pour enfants et un éducateur. En attendant que tout soit réglé, je restai chez eux. Je m'y sentais si bien. Un juge me reçut et décida de me placer en urgence dans un foyer : j'atterris au Raincy. J'étais heureuse d'être ici, chez des « Français » comme on me disait. Je préférais être de la DDASS que de chez moi. Ici au moins, on me parlait, je comptais. Je me sentais à l'abri, en sécurité. On allait enfin me foutre la paix.

Je continuais à aller au collège, en cinquième, mais je ne travaillais pas. Je n'avais pas la tête à ça. L'important était d'être loin de chez moi. Le reste, c'était de la rigolade. Ma mère voulut me récupérer. Elle me fit passer pour une enfant capricieuse, qui refusait toute autorité. Elle parvint à endormir le juge avec ses arguments. Elle ajouta qu'elle n'habitait pas en cité, qu'elle travaillait, que nous étions une famille respectable, etc. Elle sapait tout mon boulot. Maligne ma mère, quand elle veut... Au bout de six mois, comme tout était calme les week-ends où j'allais chez mes parents, le juge décida que je pouvais y retourner.

De retour chez moi, mes parents m'en ont voulu de les avoir présentés comme des parents tyranniques. Mon père ne me reparla pas pendant longtemps. Ma mère me faisait des reproches insidieux et retourna la situation en me rendant responsable de tout. Je me sentais incomprise par le juge et par mes parents.

C'est à partir de ce moment-là, à l'époque Granola, que commencèrent mes petites conneries. J'avais presque treize ans. Je séchais les cours, j'avais de mauvaises fréquentations. Je devenais insolente, grande gueule, une vraie relou ! Et puis, fugueuse et refugueuse. Je prenais plaisir à emmerder les gens dans le bus, à les insulter sans raison. Je gueulais, je me la racontais. J'adoptais la politique de la violence gratuite, la loi du plus fort. Si je n'existais pas à la maison, là au moins je me la donnais. On me voyait, on m'entendait. En fait, je ne faisais que renvoyer la violence qui m'était faite. C'était tout ce que j'avais encaissé qui ressortait. Alors commença la surenchère, toujours plus loin, toujours plus fort. Je fonçais comme un taureau enragé, tête baissée, prête à tout démolir sur mon passage. J'ai foncé comme ça, pendant plusieurs années, sans réfléchir, prise dans un engrenage irrémédiable.

Fugues, refuges, vols, rencontre de Jaïd, mauvaises fréquentations à Sarcelles, les galères, la rue...

10

Au foyer

7 janvier au matin. J'y reviens. Mon père m'a donc fichue à la porte parce que « je le dégoûte ». Je pleure en faisant mon paquetage. Je sais que cette fois-ci, quoi qu'il arrive, je ne reviendrai plus. Je me le jure au fond de moi. Je me promets que je ne reviendrai pas avant mes dix-huit ans. Quoi qu'il se passe. D'habitude, je ne tiens pas mes promesses, mais celle-là je l'ai tenue.

Je suis dehors. Il pleut, le ciel est plombé comme le fond de mon cœur. Je suis chargée comme une mule. J'ai tout pris : mes vêtements, mes chaussures, mon matériel à dessin avec la grande pochette verte qui prend la tête quand tu marches dans le métro. J'ai mes livres, mes cours, tout. Une vraie Bédouine des cités ! Où aller ? Après l'histoire avec Mathieu, ma mère avait contacté un juge pour lui signaler le danger dans lequel je me trouvais : les copains de K. qui me menaçaient et l'hostilité de mon père. On m'a donné une place dans le foyer de Nogent. Sur ce coup-là, ma mère avait assuré. C'est ainsi qu'elle fonctionne : elle peut faire des trucs tout pourris et aussi des trucs super. J'aurais, bien sûr, préféré qu'elle prenne ma défense face à mon père et qu'elle lui dise que c'était à lui de se casser et non à moi, puisque c'était lui qui ne supportait pas la situation. Mais elle n'ose pas suffisamment l'affronter pour agir ainsi.

Le problème c'est que l'on ne m'attend pas avant une semaine au foyer. Mon père n'a pas pu attendre que j'aie un toit pour me virer. J'appelle ma mère à son travail, elle me dit de venir au magasin. Elle travaille alors dans une boutique de prêt-à-porter à Saint-Germain-des-Prés. Elle sent bien que je suis déterminée à ne plus rentrer. Il faut trouver une autre solution. Elle appelle le foyer qui est d'accord pour me prendre une semaine à l'avance. En urgence... comme ils disent.

Durant tout le trajet jusqu'au foyer, je pleure. Je ne sais pas exactement pourquoi je pleure, mais je sais que quelque chose a changé pour toujours. Rien ne sera jamais plus comme avant. Les mots de mon père me reviennent. J'avais supporté les insultes, les coups, mais je ne peux pas oublier les mots qu'il avait prononcés. Son « dégoût » me brise, me mortifie, me salit plus encore. Non, je ne retournerai plus jamais là-bas.

Au foyer, Jean-Pierre, éducateur et sous-directeur, me reçoit et me fait visiter les lieux. J'ai ma chambre avec ma clef et une vue sur un petit jardin tranquille. Tranquille comme Nogent-sur-Marne avec ses arbres, ses balades au bord de l'eau en été, ses couleurs délavées en hiver. Je suis dans cette chambre, un peu tristounette. Avant de m'installer, je m'assieds sur mon lit pour chialer un bon coup. Je ne peux pas mettre de mots sur ce que je vis. Je le vis, c'est tout. Ensuite, je vais déjeuner et j'accroche mon sourire de circonstance pour ce premier repas avec les autres. Menu : steak frites. J'adore. Jean-Pierre me présente aux autres. Martin, Li, Salima, Clarisse, Gérald, Patrick. Je me montre souriante, pleine d'assurance. Je suis habituée à être confrontée à des situations hard et je sais bien masquer mes sentiments. Je souris tout le temps, pas le moindre abattement qui pourrait encourager les autres à me poser des questions sur les raisons de ma venue. Depuis l'école d'art, mon look a changé : j'ai troqué pour un temps ma panoplie survêt-baskets pour des fringues un peu excentriques, nettement plus cool. Mais la panoplie survêt-baskets-blouson va vite revenir au galop.

Je n'ai pas l'intention de me laisser faire, dans ce foyer, et c'est Martin qui s'en aperçoit le premier. Est-ce une histoire de clope ou un mot de trop à mon égard, je ne sais plus. Ce que je sais, c'est que ses quatre-vingt-dix kilos ne m'impressionnent pas et que je me bastonne dur avec lui.

Cela calme tout le monde. Après, j'ai droit à un respect bien mérité. Je rentre dans le système foyer, avec la carte orange, les cent cinquante balles et les quatre places de cinéma par mois. Cool. Après notre rencontre musclée, Martin est devenu mon grand copain. Il me respecte parce que je l'ai calmé. Il vient chaque soir dans ma chambre me raconter sa journée. Il est très gentil mais souffre comme moi de n'être pas aimé chez lui. Au foyer, c'est une grande gueule, mais je le défends toujours parce qu'il n'en a pas trop dans la tronche. Il y a aussi Gérald, de La Courneuve : je connais un de ses copains. Au début, il veut me tester, voir si je suis une petite « chaude ». C'est partout pareil, ils regardent s'il y a « moyen de moyenner ». C'est seulement quand ils voient qu'ils n'ont aucune chance qu'ils te respectent. Maintenant, j'ai de l'entraînement, je ne me laisse plus faire. Je n'ai pas besoin d'employer la force. Par exemple, j'ai réussi à engrainer deux filles, Clarisse et Salima, pour aller voler à ma place ce dont j'ai besoin. C'est comme ça, dans les foyers : le vice à l'état pur. Gérald me respecte aussi pour ça.

J'ai compris le comportement à avoir pour être respectée, ce n'est pas ma nature mais j'y excelle. Je suis dure, sans pitié, grande gueule. J'attaque la première pour qu'on me foute la paix. J'ai compris qu'il faut faire à l'autre ce que l'on ne

veut pas qu'il vous fasse. Cependant, je sais culti-
ver le côté agréable et souriant. Je mets la carotte
en douceur. Je jongle avec mes sentiments et mes
émotions, mais ce qu'il y a de plus profond en
moi, je le cache. Un soir, on m'appelle dehors. Je
sors et je les vois tous regroupés au fond du jardin.

« Tu fumes ?

— Ben oui ! » Moi, dans ma petite tête, je crois
qu'on parle de clopes.

« Tiens, prends une taffe ! » Je ne veux pas passer pour une baltringue, alors je tire trois ou
quatre taffes sur le pétard.

« T'arrives d'où ?

— Sarcelles.

— Ah ! C'est chaud, là-bas !

— Ouais, si tu veux ! »

En fait, le joint c'est juste pour savoir d'où je
viens, qui je suis, etc. Je n'ai aucune envie d'être
bavarde, je me concentre sur l'effet du shit. Je me
sens drôle, mais pas question de le montrer. Je
me contrôle grave. Le joint tourne et revient vers
moi. Je reprends trois ou quatre taffes.

« Eh, ça va, t'endors pas dessus !

— Ça va ! Reste tranquille, je te le rends. »

Ensuite, je monte dans ma chambre. Je m'allonge
sur mon lit. Ça tourne grave dans ma tête dès
que je ferme les yeux. J'ai envie de vomir et en
même temps j'aime. J'aime parce que je me

sens planer, parce que je m'évade. Je décolle de la réalité et ça me fait oublier toute ma vie de déglingue. Je vole, je fais des pirouettes, des galipettes au-dessus de mon lit comme dans une cabine d'apesanteur. C'est ça le shit ? Putain, je kiffe !

Après cet épisode, chaque fois qu'il y a un joint qui tourne je suis là. Puis je me mets à en acheter ou à en chouraver. Je galère pas mal pour mes premiers pétards, qui ressemblent plus à des bonbons emballés qu'à des vrais spliffs. Je ne suis pas très partageuse, je gratte toujours les autres en faisant croire que je n'ai rien. De temps en temps, je sors quand même un joint pour calmer les esprits.

Mon souci majeur au foyer est de me faire respecter, d'être maligne et surtout de ne rien montrer de mes sentiments. Ni aux jeunes qui partagent ma vie, ni aux éducateurs qui m'encadrent. Je dis toujours que tout va bien. C'est vrai que le foyer m'offre un cadre stable, avec des règles de vie et une structure solide. J'y jouis d'une considération que je suis loin d'avoir à la maison. Même si ce n'est pas l'idéal, je peux y refaire ma vie tant bien que mal.

L'important est d'être loin des parents. Quand je pense à eux, je suis dégoûtée par l'attitude de ma mère. J'ai vraiment l'impression qu'elle a choisi son camp, qu'elle a opté pour mon père contre moi. Elle m'a abandonnée à sa loi sans regarder ma souffrance, elle a fermé les yeux sur l'inacceptable. Je veux faire une croix sur de tels parents. Au bout d'un certain temps, ma mère commence à m'appeler pour voir si tout va bien. Ma mère, c'est : « Casse-toi, tu pues... Reviens ! » Elle est totalement contradictoire et moi, j'ai grandi dans ses contradictions permanentes. Elle essaie de me remettre le grappin dessus et achète mon retour vers elle. Elle me donne de l'argent, me comble de cadeaux, ferme les yeux sur les joints. Où veut-elle en venir ? Peut-être veut-elle se racheter, se donner bonne conscience ? Ou bien veut-elle prouver aux éducateurs qu'elle est une bonne mère et que je suis injuste avec elle ? Elle est maligne ma mère ! Chaque fois que je me plains d'elle aux autres, elle fait le coup de la bonne mère, généreuse et tout. Plus tard, elle s'y essaiera avec ma psy, mais là, elle tombera sur un os. On la renverra dans ses foyers aussi sec.

Mais pour me retrouver, ma mère est capable de tout. C'est ainsi qu'un jour où je n'étais pas rentrée depuis plusieurs jours, elle parvint à savoir où je traînais. Je devais avoir douze ou treize ans à l'époque et je squattais devant un bahut. Ce jour-là, ma mère a mis le paquet. Elle m'a fait le coup de l'arrestation. La voilà qui débouche d'une voiture, sort sa carte demi-tarif comme si c'était une carte de police, la montre rapidement aux jeunes qui n'y voient que du feu, en gueulant :

« Police ! » Elle me chope, me plaque au sol, attache mes poignets avec des menottes et m'embarque dans une voiture. Et hop, la voiture démarre en trombe, avec ma tante au volant ! La honte de ma vie ! Devant tous mes copains. Aussitôt installée dans la voiture, je me prends la beigne du siècle. Je me suis toujours demandé d'où elle avait sorti ces menottes. Ma mère, c'est « Starsky et Hutch » à elle toute seule ! Si seulement elle avait eu cette énergie pour résister à mon père...

Je me demande pourquoi elle veut toujours me récupérer puisqu'elle ne remet jamais en cause quoi que ce soit. Elle continue à ignorer la tension infernale qui règne à la maison et semble complètement occulter l'horreur de ce que j'ai vécu. Peut-être est-ce trop dur pour elle ? Comment ne peut-elle pas avoir compris le désarroi dans lequel j'ai subi tous ces événements, senti ma solitude et mon sentiment de rejet ? Comment a-t-elle pu ne pas compatir à ma souffrance ? S'est-elle seulement mise à ma place deux secondes ? Imagine-t-elle qu'en plus de ce que j'ai subi, il m'a fallu en assumer toutes les conséquences : les menaces, les jugements, la police et ses interrogatoires, le dégoût et la violence de mon père, les regards et les paroles de rejet de tous ?

Au foyer, on ne doit pas me comprendre non plus. Je n'ai pas le comportement d'une fille violée. Je ne suis pas recroquevillée sur moi-même avec des allures traumatisées de victime. Au contraire, je suis exubérante, désinvolte. Je prends beaucoup de place et j'ai un très fort ascendant sur les autres. Donc, pour eux, je n'ai pas de problèmes. Je respecte les horaires, je rentre toujours à l'heure. Je trouve que l'organisation m'offre assez de liberté, donc, je n'abuse pas.

Cependant, je continue à me taire. Je ne veux laisser rentrer personne dans mon histoire, j'ai tellement honte et je me sens si coupable ! Ou alors il faudrait qu'il ou elle ait la bonne clef : les mots pour me réveiller et m'adoucir, le cœur pour me comprendre. Comme je ne rencontre pas cela, je ferme, je bloque toute mon émotivité. Je refroidis mon cœur car je n'ai plus aucune confiance en ceux qui m'entourent et je ne veux plus souffrir. J'ai peur d'être trahie, incomprise comme je l'ai toujours été, par mon avocate, mes parents, mes copines. On m'a prise pour un voyou, une caillera, une dure, une « taspé » alors que j'étais une enfant en détresse. Aujourd'hui, les éducateurs me jugent sur mes explosions et n'écoutent pas le cri qu'elles expriment. Je ferme la bouche à la petite fille qui se plaint en moi. Je la fais taire parce qu'on ne lui donne pas le droit ni la place de crier. Je me barricade, je suis comme un coffre-fort en béton armé.

Lorsqu'on m'attaque, je deviens un animal sauvage. Je suis aux aguets, j'observe, prête à bondir sur celui qui veut m'avoir. Je ne veux plus me faire avoir, j'ai payé trop cher ma gentillesse et ma naïveté. Les viols m'ont changée de fond en comble, ils ont repeint en noir ma vision du monde. Même si ce que je vivais avant à la maison était dur, je trouvais belle la vie, et j'aimais les autres.

Une personne ne peut rester murée dans du béton armé. La violence et la détresse qui m'habitent ont besoin d'exploser. Mon corps trouve une solution. C'est intelligent, un corps! Il se met à faire des crises d'épilepsie. Pas n'importe quoi! Parfois, il faut sept ou huit personnes pour me contenir, car ma force est décuplée. Je pousse des hurlements de bête blessée, mon corps se cabre, se convulse. Dans cette énorme décharge électrique, toute ma souffrance et ma haine se dégagent. Après la crise, mon corps est cassé, vidé, mais je me sens bien. Je ne me souviens plus de ce qui a déclenché ma première crise, ce dont je me souviens c'est de toute l'attention que j'ai reçue à cette occasion.

Alors mes crises deviennent un nouveau mode d'expression. Tout ce que je retiens, je le dégueule à ce moment-là. La pression de mes émotions bloquées se libère et tout le monde s'occupe enfin de moi. Et même si on me regarde comme une malade, on me regarde. C'est ce qui est essentiel pour moi. Cette petite vague d'attention remplit mon cœur. Comme c'est monstrueusement pathétique!

Un jour, je fais une crise au lycée. On me trimballe en brancard à travers la cour et l'on me conduit à l'hôpital. Ce foutu médecin me donne du Lexomil. Je prends ces cachets pendant quelque temps, mais je suis dans un état comateux. Pendant les cours, je ne calcule plus rien, je suis pâteuse, je dors. Je me sens comme une toxico, complètement défoncée. Je n'aime pas ces médicaments « pour les nerfs » et, de toute façon, ce ne sont pas mes nerfs qui sont malades, c'est mon cœur. J'ai un membre de ma famille qui est soigné avec ce remède pour chevaux, il est complètement azimuté. Je n'ai aucune envie de lui ressembler un jour. Je sais au fond de moi que cette merde est mauvaise pour moi.

Je n'aime pas les médecins qui prescrivent automatiquement Gardénal, Temesta ou Lexomil à des gens en détresse. Ils te bourrent, t'endorment et noient le poisson avec cette merde, mais ta souffrance, elle est toujours là. C'est un cercle vicieux : comme ton mal-être n'est pas traité, tu en prends toujours plus! J'ai arrêté ce bordel vite fait, je ne voulais pas ressembler à ce parent.

Je fais ce qu'on veut pour moi, je leur fais plaisir en rentrant dans le circuit des scanners, des

EEG, tous les examens possibles susceptibles de dépister mon « mal ». On me dit que je dois avoir quelque chose au cerveau qui déclenche ces crises. Les toubibs vont parfois très loin dans leur délire. Mais personne ne s'est jamais penché sur le côté psychologique de mes crises. Un médecin s'étonne tout de même :

« Écoute, tu ne peux pas faire des crises comme ça, aussi violentes, aussi fréquentes, à moins que tu ne sois une grande comédienne !

— Eh bien oui, docteur, vous avez mis dans le mille, je l'avoue maintenant après toutes ces années, j'ai été la plus grande comédienne qui soit ! »

Au foyer, je fais une crise de temps en temps. Après avoir quitté le foyer, ma vie devient plus dure. Mes crises sont alors de plus en plus fréquentes. Je tiens de moins en moins la charge de la tension nerveuse et mon corps a bien plus souvent qu'avant besoin de se dégager. Je finis par utiliser ce moyen pour me soustraire à toutes les situations difficiles.

Au lycée, j'ai cessé tout investissement. Je ne peux plus suivre, je me sens de plus en plus à l'Ouest. Il me faudrait un répétiteur, vingt-quatre heures sur vingt-quatre. Seule, je ne parviens plus à travailler. Je continue à aller en cours, mais je glande. J'ai toujours une excuse, et toujours la grande gueule. J'impose à tous mes humeurs, mes éclats, et je conserve néanmoins la sympathie des élèves et l'indulgence des profs. Les profs m'ont à la bonne, bien que j'abuse et surabuse de leur gentillesse et de leur patience. Ils essaient de m'aider, mais je suis déjà trop loin. Je suis incapable de poser mon esprit, de mettre en place la moindre réflexion. Il n'y a plus que les cours de dessin qui me branchent parce que je peux laisser aller mon pinceau.

Au foyer de Nogent comme au lycée, j'ai plusieurs personnalités, j'arrive à m'adapter à toutes les situations, à tous les individus. Je parle aussi bien aux « cailleras » qu'aux élèves sérieux. Avec les élèves qui sortent un peu du rang, je fais des petits business par-ci, par-là, histoire d'arrondir mon argent de poche, et on se retrouve au fond de la cour pour fumer des pétards. Avec eux, je suis bien, parce que j'aime rigoler. J'aime que ça chambre et qu'il n'y ait pas de sentiments à mettre dans la relation, pas de questions, pas de comptes à rendre. Avec les autres, les sérieux, c'est plus complexe. J'ai envie d'être comme eux, de m'intégrer à leur milieu. Mais, à leur contact, je comprends ma marginalité, mon incapacité à m'intégrer, et mon image de victime me saute aux yeux. Cela me décourage et me fait perdre l'espoir de m'en sortir un jour.

Il y a un pote de ma classe avec lequel je sympathise. Il s'appelle Nicolas. C'est un beau gars brun, aux yeux noirs, un fils à papa. On est devenus amis parce que j'ai empêché qu'il se fasse racketter. Il avait été cool avec moi, plusieurs fois en cours. Nicolas ne s'arrête pas à l'image que je montre de moi, il creuse pour me trouver. Il essaie de m'aider dans mon travail scolaire. Il est très attentif, mais c'est peine perdue. Je suis comme dans une voiture dont les freins ont lâché et je continue ma course folle. Je ne veux pas qu'il me prenne la tête avec sa morale, ça me fait trop mal. Alors je deviens distante avec lui, pour qu'il se détache. Je regarde lucidement nos chemins se séparer. Quelques années plus tard, je rencontre Nicolas dans un café à Nation. Il est beau, épanoui, satisfait de son sort. Il fait toutes sortes de choses intéressantes dans la mode. Je suis en face de lui, misérable, déjà déglinguée par la vie. Je me sens honteuse d'être ce que je suis et son regard me fait mal. Je me sens d'un tout autre monde et, bien qu'il m'ait donné son numéro de téléphone, je m'arrange pour le perdre...

Quand je dis que j'ai plusieurs vies, je parle de mes facettes extérieures et de mes vies souterraines. À l'intérieur, il y a tout le flot de mes sentiments endigués tant bien que mal. Il y a aussi un domaine sur lequel je n'ai jamais voulu me pencher : ma vie sexuelle. Aujourd'hui encore, j'ai du mal à l'évoquer.

Ma vie sexuelle, je l'ai commencée dans la honte, le non-dit et la dégradation de soi. J'ai appris à faire l'amour dans la crasse, la merde et la violence. Jamais je n'ai connu les petites ambiances cool, musique douce, bougies et compagnie. Moi, c'était les coups, les rapports de force, les mensonges, la trahison. La misère sexuelle. Il a suffi d'une fois, d'une putain de seule fois. Il a suffi que je couche une fois avec Jaïd pour que je devienne une proie pour les autres. Tu te laisses berner une seule fois et après tu es foutue, dans cette cité de malheur.

Certaines filles ne peuvent plus avoir de rapports sexuels après avoir été violées. Pour d'autres, c'est le contraire. Elles n'ont plus de respect pour elles-mêmes et se mettent à coucher n'importe comment. C'est plutôt mon cas. Que veut dire s'allonger quand on a subi ce que j'ai subi ? Est-ce que cela a de l'importance ? Ça n'a plus aucun sens, salie pour salie, pourquoi ne pas continuer ? D'ailleurs, en ce qui me concerne, mon corps a cessé de m'appartenir après le viol. Cette attitude n'est apparue qu'après l'échec de ma relation avec Mathieu. Cela m'a paru bizarre de pouvoir faire l'amour avec Mathieu. J'ai l'impression que je n'aurais pas dû, qu'on ne couche plus après un viol. Mais j'étais amoureuse, et refaire l'amour avec un garçon, doux et gentil, était sans doute le meilleur moyen de guérir ma blessure. Pourtant, je ne peux pas m'empêcher d'avoir honte de cela aussi. Ils ont réussi à faire entrer au plus profond de moi leurs principes de merde. Je suis pleine de culpabilité, je suis pleine de honte.

J'ai été si amoureuse de Mathieu que j'ai voulu un enfant de lui. C'est lors d'une opération de l'appendicite que l'on s'est aperçu que j'étais enceinte. Je ne le savais pas moi-même. Bien sûr, je n'ai pas désiré le garder, je savais bien que j'en étais incapable. Au foyer, ils m'ont mise sous pilule. C'est leur politique, et c'est bien ainsi. Cet avortement n'est qu'une épreuve de plus à encaisser. Une agression de plus pour mon corps et mon équilibre psychologique. Je n'ai que quinze ans. Je continue à encaisser sans réfléchir, sans essayer de sentir les perturbations que cela provoque chez moi. Non seulement les freins de la voiture ont lâché mais, en plus, elle roule dans le noir. Je poursuis ma descente infernale.

C'est après la déception provoquée par l'attitude de Mathieu que je commence à triper. Triper, c'est sortir avec plein de mecs à la fois, sans forcément coucher. C'est une façon de me venger de Mathieu au travers de tous les autres, et aussi de ne plus appartenir à personne. Trop dur d'être larguée ! Je multiplie les rencontres, les histoires d'un soir. J'ai aussi deux relations plus importantes que je mène en même temps que tout le reste. Il y a Driss et Mohammed, avec lequel je reste un an et demi. Je joue à cache-cache entre ces deux principaux mecs. Je joue avec les sentiments de tous. Je me crois maligne, mais je finis toujours dans leur lit.

Après, je continue à me dégrader sans m'en rendre compte, je sais seulement que ce que je fais est « mal ». Aujourd'hui, j'ai honte et j'ai mal pour moi, car c'est moi-même que je n'ai pas respectée et que j'ai avilie. Je m'allongeais parce que je savais le faire. Cela n'avait aucune valeur pour moi, ça ne voulait rien dire du tout. Je m'allongeais comme une pute s'allonge pour un client. C'était le vide. Je ne me rendais pas compte que j'étais dans un état suicidaire et que je m'enfonçais dans le déni.

11

Au bled

Voilà six mois que je suis au foyer de Nogent. C'est la fin de l'année et je passe, malgré tout, en deuxième année de BEP, au lycée professionnel. Ma mère, que je revois en dehors de la maison, me propose de partir avec elle et mes deux sœurs en Algérie, pour des vacances. Elle veut que je me repose et que je me change les idées. J'en ai bien besoin et j'accepte à condition que mon père ne vienne pas.

Les seules vacances passées avec lui furent un véritable cauchemar. Je m'en souviens encore. C'était sur la Côte d'Azur, à La Capte, je devais avoir douze ou treize ans. Auparavant, j'allais toujours en Belgique, dans ma famille d'accueil. Donc, cette année-là, je pars avec eux, rejoindre ma tante et mes cousines dans un camping. Je suis contente à l'idée de passer des vacances avec mes grandes cousines. Je me fais déjà plein de films dans la tête, ça va être des vacances terribles !

Le premier jour, je prends mon maillot et je passe ma journée à la plage avec elles. En rentrant le soir, mon père est absent. Je prends une douche et je me prépare pour aller manger une glace. Les vacances, quoi! Ma mère m'a donné le feu vert, donc pas de problèmes pour prolonger un peu la soirée. On m'apprend que mon père me cherche, qu'il faut que je rentre : ce que je fais immédiatement. Quand j'arrive à la maison, il n'est pas là. Ma mère me dit d'aller me coucher et de faire semblant de dormir. Je m'exécute, mais je ne comprends pas du tout ce que j'ai fait de mal. Je suis allée manger une glace avec mes cousines. Qu'y a-t-il de répréhensible? Au bout d'un moment, j'entends mon père rentrer. Il est furieux et s'embrouille avec ma mère qui tente de me défendre. Il ne l'écoute pas et se dirige vers ma chambre. Il m'insulte.

« Kalba! Tu étais où? T'as été faire quoi dehors? » Il s'approche de moi et tire brutalement la couverture. « Et en plus, tu fais semblant de dormir! » Cela le fout en rage. Alors, il me donne un coup de pompe en pleine figure. Je hurle et me précipite hors de la tente en bousculant mon père et ma mère. Mon nez est en sang et ça pisse abondamment. Je me réfugie auprès de ma tante, je suis abasourdie et furieuse de ce qui vient de m'arriver. Elle me soigne. Ça va, mon nez n'est pas cassé. « Tu n'aurais pas dû

sortir sans prévenir, tu sais, ton père a raison ! »
Ma tante le défend. Je ne parviens pas à dire que
je n'ai pas eu le temps de m'expliquer. Je suis
révoltée par tant d'injustice. Mon père m'a tapée
comme on shoote dans un ballon de foot.

Moi qui croyais passer de vraies vacances et profiter de la même liberté que mes cousines, c'est mal
barré ! Si je comprends bien, il veut que je reste
assise sur le sable à côté de lui, à faire des pâtés
comme quand j'avais cinq ans. Le programme de
mes vacances est « waou » ! Ménage le matin avec
ma mère. Puis « tournage en rond » jusqu'à seize
heures, heure à laquelle mon père termine sa sieste.
Enfin départ à la plage, avec lui bien sûr. Comme
je ne veux pas qu'il me foute la honte, je reste tranquille. Quel pied, ces vacances !

Je suis écœurée et, à partir de ce moment-là,
plus mon père interdit, plus je déconne. Il sur-
veille tous mes faits et gestes, il contrôle même les
endroits et les personnes sur lesquelles se pose
mon regard. Il abuse grave ! Je n'ai qu'une envie :
le faire chier au maximum, comme pour lui dire :
« Tu vois, tes coups, ça sert à rien ! Je fais tout ce
que tu m'interdis ! » Je suis très vite complètement
saturée par la surveillance permanente de mon
père, je n'en peux plus. Je n'ai qu'une envie :
foutre le camp, me tirer de là, me casser ! Je veux
lui montrer qu'il ne me fait pas peur et que je
peux toujours me barrer.

Je disparais quinze jours. Je dors dans une maison en construction. Ma couverture et mon matelas sont deux plaques de polystyrène. Ma bouffe, je la choure au Monoprix de Bandol. Le soir, je tente ma chance à la boîte du casino de Bandol, histoire de me changer les idées et de me réchauffer un peu. Le videur éclate de rire en voyant ma tronche de môme et me jette dehors. Il me fout la rage ! C'est ma mère qui vient me chercher après quinze jours de fugue. Elle essaie de calmer l'affaire. Jusqu'à la prochaine !

Voilà pourquoi ma seule condition cette fois pour des vacances en Algérie, c'est que mon père n'y soit pas.

Ma mère a bien fait les choses. Nous sommes dans une très jolie station balnéaire. Sidi Fredj possède un petit port, des sites historiques, des restos, des bars sympas. Super ! Nous avons deux mois de vacances et elle a réservé dans deux hôtels différents, un mois dans chaque hôtel. Mortel ! Au bled, il faut se farcir leur mentalité. En tant qu'immigrées, nous sommes traitées plus qu'à la légère. Comme le service laisse à désirer, je fais des réflexions justifiées, en français, ce qui les énerve davantage. Tous les jours, il faut négocier pour obtenir la moindre chose. C'est usant ! Les serveurs se permettent n'importe quoi, l'un se sert dans mon paquet de clopes, la fille de la femme de chambre me choure des fringues et je la vois se pavaner avec dans la ville! Tous les jours, c'est une embrouille différente.

C'est assez incroyable et je le supporte très mal. Il est vrai que je suis dans un état particulier à ce moment-là, tendue, nerveuse, prête à exploser à la moindre réflexion désobligeante. Néanmoins, une seule chose importe pour moi : prendre le positif, profiter de mes vacances, oublier K. et ses potes. Je veux être plus forte qu'eux, gagner sur la souffrance qu'ils m'ont infligée. Je veux oublier cette année noire et mes frasques avilissantes. Je veux oublier la honte de ce que je suis devenue cette année-là. Je veux essayer de vivre! Vivre normalement.

Alors, je vais à la plage, je sors en discothèque de temps en temps, j'essaie de m'amuser comme tout le monde. Un jour, à la piscine, je fais la connaissance de trois jeunes qui habitent en France, près de chez moi. On sympathise tout de suite parce qu'on a des amis communs. Tous les jours, ils viennent profiter de la piscine de l'hôtel. Je suis contente d'avoir des gens de mon âge avec lesquels rigoler un peu.

Un soir, avec l'un d'eux, je vais fumer un pétard sur la plage. Il fait bon, la mer est toute calme, elle scintille, on discute tranquillement. Je suis bien. Soudain, trois gars se pointent, ils se présentent comme policiers sans montrer leurs papiers et nous demandent les nôtres. Je refuse de les montrer car ils ne ressemblent pas à des flics. Pendant qu'on discute, je vois un des mecs entraîner mon copain plus loin, ils disparaissent.

C'est alors que sans que j'aie eu le temps de réaliser, les gars me tombent dessus, me rouent de coups, des coups d'une violence inouïe, qui résonnent encore aujourd'hui dans ma tête. Je n'y crois pas, c'est un cauchemar. Je crie, je hurle à l'aide, j'essaie de m'enfuir. Je cours, je tombe dans le sable, me relève, cours encore, affolée. Ils me rattrapent, me secouent brutalement. Je suis morte de peur, tremblante, abasourdie. Pour que j'arrête de crier, ils m'envoient du sable dans la bouche, à grands coups de pied.

Les coups redoublent. Je hurle. Alors, un des gars sort de sa veste un couteau : il me montre une grande lame acérée. Terrorisée, je me tais immédiatement. Alors recommence l'horreur, pour la troisième fois de ma vie, je deviens l'objet de leur cruauté sexuelle, l'instrument de leur sadisme, de leur lâcheté, de la violence la plus abjecte. Pendant qu'ils se défoulent sur moi, je parle à Dieu, très fort dans ma tête, je le supplie de me laisser en vie. Je le supplie de m'épargner, car je suis sûre qu'ils vont me tuer. Je vois toute ma vie défiler. Je sens la mort s'approcher. À bout de force et d'arguments, je négocie mes bijoux contre la vie sauve.

Le lendemain, on me retrouve complètement hagarde devant les portes de l'hôtel, j'ai fait une crise de nerfs. Ma robe est complètement déchirée, le slip aussi. Je suis à moitié déshabillée, mais je ne m'en rends même pas compte. Mes yeux, mes oreilles, ma bouche, mes cheveux sont pleins de sable et de sang séché. J'ai marché longtemps dans la ville, hébétée, égarée, appelant ma mère en pleurant, mais il était très tôt, les rues étaient désertes, tout le monde dormait.

À l'hôtel, le garçon de la réception me regarde sans comprendre. Je lui hurle d'appeler ma mère. À bout de force, je m'évanouis. Je me réveille dans les bras de ma mère, il y a un attroupement autour de moi. Tous ces gens me font peur, je hurle, je les prends pour mes agresseurs. Je délire complètement, encore sous le choc. Quand je suis un peu remise, ma mère me conduit à l'hôpital pour me faire examiner et soigner. Il faut aussi faire un rapport pour l'enquête. Mon corps est meurtri de bleus. J'en ai partout : sur les tempes et le front, sur le dos, les bras, sur les jambes et entre les cuisses. Mon visage est couvert de sang à cause des coups que j'ai reçus dans la bouche, mes genoux sont complètement écorchés.

J'ai encore du sable partout, au plus profond de mes parties intimes et dans la gorge. Je crache du sable et j'en cracherai pendant plusieurs jours. Le docteur, une femme, essaye de m'examiner sans gants et la fenêtre ouverte sur des ouvriers qui travaillent. Elle se prend un fulgurant coup de pompe dans le ventre. Je fais une deuxième crise de nerfs. J'ai mal, pas mal dans mon corps car il est anesthésié par trop de coups. J'ai mal pour mon corps, mon pauvre corps, de tant de violence subie. J'ai mal dans ma tête de tant d'injustice, de tant de barbarie. J'ai mal de tant d'impuissance à me défendre, à me faire comprendre et surtout croire à ce qu'il vient de m'arriver.

Les commentaires recommencent. « Si ça m'arrivait à moi, je me défendrais jusqu'à la mort ! », « Jamais je ne permettrai qu'on me fasse ça ! » Il y a aussi les yeux de ma mère qui disent très fort ce qu'elle pense tout bas : « Mais, c'est pas possible, elle le cherche ! » Parce que dans les yeux des gens, je lis à livre ouvert. Il y a de la réprobation, de la suspicion, parfois un peu de pitié, jamais de compassion. C'est de ma faute, ça éclate de partout, ça m'éclabousse.

Plus tard, nous nous rendons au commissariat, avec ma mère pour porter plainte. Là, nous sommes reçues par un connard qui n'a rien à foutre de ce qui m'est arrivé, de mes bleus, du sang partout sur mes vêtements, de ma robe déchirée, du sable dans ma bouche, de mon état de choc. Il me pose des questions indiscrètes, pour soi-disant mieux comprendre pourquoi ça m'est arrivé. Il me demande notamment si j'étais vierge avant les viols ! Quand j'ai la naïveté de répondre non, il me regarde avec un sale air vicelard. « Ah, fallait le dire ! » me répond-il. À cet instant précis, je comprends qu'il ne va rien faire Ça me met les nerfs, j'insiste pour les faire bouger. « Toi, la ferme, tu commences à trop la ramener, t'avais qu'à pas traîner sur la plage à c't'heure-là ! » Voilà ce que me sort le commissaire. Je réussis quand même à faire descendre une équipe sur la plage. Je suis avec eux, un pull pour me protéger, et ma robe toute déchirée. C'est l'humiliation.

Il faut savoir qu'au bled, sur les plages, il y a une faune de jour et une faune de nuit. Quantité de gens, d'enfants dorment là, dans les buissons qui bordent la plage, parce qu'ils n'ont pas d'autre abri. Cette nuit-là, des gens y dormaient, ils ont entendu mes cris et ne sont pas venus me secourir. Je me souviens que je suis passée à côté d'un homme couché là, un barbu, un frère musulman, je suppose. Je me souviens de l'avoir supplié de m'aider. Il s'est détourné et est allé dormir plus loin. Des tas de gens, des gamins, sortent de partout. Tout à coup, je reconnais l'homme, le barbu, je lui demande de témoigner, pensant que, devant la police, il parlera. « Moi, j'ai rien vu, non, j'ai rien entendu, je dormais plus loin, dans les buissons, j'ai jamais vu cette fille ! » Un sentiment d'injustice et de révolte m'étouffe, j'insiste : « Rappelle-toi, je t'ai supplié de m'aider cette nuit, tu dormais juste à côté, je t'en prie,

135

aide-moi ! » Non, il ne me reconnaît pas, il n'a rien entendu. C'est lui, pourtant, j'en suis sûre.

Je repense au copain qui était avec moi, la veille sur la plage, on l'a trouvé chez lui, ce matin, en train de dormir. Il a dit s'être réveillé sur la plage, au bout d'un moment après avoir été assommé ! Y a-t-il besoin de commentaires ? C'est un cauchemar, ce n'est pas possible, personne donc ne m'aidera ? Je gueule ma rage et ma bonne foi. Le flic me ferme la bouche : « Allez, ça va comme ça, tu commences à nous pomper l'air ! » Alors là, j'ai comme un flash, je comprends qu'il n'y aura pas de suite, que l'affaire s'arrête là. En effet, la plainte est classée tout de suite. Pourtant, quelques jours plus tard, on retrouve un couple d'amoureux assassinés : le garçon et la fille ont été violés, égorgés, éventrés, à l'endroit même où je me suis fait violer. Je n'ai plus jamais remis les pieds dans mon pays.

J'ai compris que dans ce pays de merde, il n'y a aucune justice, car la police fonctionne au bakchich. J'avais déjà compris, dans les yeux du flic, que ce n'était pas la peine d'insister, qu'il n'y avait rien à espérer. Je laisse tout là-bas. Les deux mille kilomètres qui m'en séparent m'aident à ne plus penser, à tenter d'oublier ce que je peux ressentir. Je me console en pensant que, au moins en France, il y a une justice.

Rentrée en France, je retourne au foyer, je ne dis, bien sûr, rien de ce qui s'est passé, d'ailleurs personne ne me croirait. « Violée une troisième fois, vraiment, elle le cherche ! » Voilà ce qu'on dirait, à coup sûr. Même moi, j'ai du mal à croire à tout ça, après toutes ces années de galère. Je me demande si c'est bien moi, qui ai subi tout cela et comment j'ai pu en supporter autant. Cela paraît tellement fou.

12

Je m'souviens...

C'est la rentrée, je suis revenue du bled encore plus déglinguée qu'avant mon départ. Cependant, je ne montre rien. Je ne parle pas, je ne pleure pas. Au foyer, j'accroche mon plus beau sourire, je renforce mon armure pour dissimuler ma blessure. Je ne me rends même pas compte que je viens de passer une année terrifiante et que j'ai accumulé les traumatismes. Alors, l'engrenage reprend, je suis en état de choc, mais je n'en ai absolument pas conscience.

J'apprends que le foyer de Nogent va fermer ses portes et j'en suis très contrariée. J'étais bien ici. Cette fermeture accélère ma descente aux enfers. Je me retrouve sans toit, sans école, sans boulot, sans cerveau et je n'ai pas dix-sept ans. Qu'est-ce que l'avenir pour moi, dans ces conditions ? Tout cela ne m'empêche pas de rêver, je veux trouver un boulot, un appart et passer mon permis de conduire. À ce moment-là, je ne réalise pas que ça n'est pas possible. Je suis dans l'incapacité totale de prendre soin de moi.

Certains jeunes du foyer sont rentrés chez eux, d'autres ont été replacés. Quant à moi, j'attends que mon éducateur me trouve une place ailleurs. Car j'ai effectivement un éducateur : celui qui a reçu la fonction de « s'occuper » de moi par le tribunal de Bobigny. En fait, son rôle se limite à faire le point avec moi, de temps en temps, à me donner un autre rendez-vous, et « salut à la prochaine » ! Il n'en a rien à foutre de moi, et se contente de me faire la morale. Il ne s'interroge pas le moins du monde sur le sens de mon comportement et ne m'a jamais proposé de consulter un psy. Ce n'est, à coup sûr, pas quelqu'un sur qui je peux compter : un de plus ! Décidément, ça ne court pas les rues, les gens en qui je peux avoir confiance !

Le fait d'avoir passé des vacances avec ma mère lui donne le droit de penser que tout est rentré dans l'ordre à la maison et que je peux y retourner. Il me prend sans doute pour une petite capricieuse qui veut se barrer de chez elle. Il est déjà venu chez moi et a été étonné par mon cadre de vie qui ne correspond pas aux critères habituels : quatorze grands frères, parents au chômage, le cliché du rebeu ! Je ne rentre pas dans cette petite case, donc, pour lui, je n'ai rien à faire dans un foyer. Quand, à la fermeture du foyer, il me propose de rentrer chez mes parents, je refuse net. Je veux un autre foyer. Point final. Je suis dans l'incapacité totale d'affronter le regard de mes parents, de supporter cette tension qui me rappelle sans cesse que j'ai été violée. Je préfère encore la galère et la rue à l'ambiance de la maison. C'est triste !

En fait, à cette époque, je nageais en pleine inconscience. Je me croyais invulnérable, indestructible comme cette matière, le mercure je crois, que l'on peut déformer à souhait et qui retrouve toujours sa forme initiale. Je pensais que le plus dur était passé et que j'arriverais à surmonter les difficultés qui se présenteraient. De toute façon, personne ne semble pouvoir m'aider, personne ne me comprend : ni mes parents, ni mon éducateur, ni l'avocate. Je voudrais tellement que quelqu'un m'écoute sans me juger. Je voudrais que quelqu'un me balance une phrase qui me fasse éclater, pour lâcher enfin tout ce que je retiens !

Mais comment être comprise, comment être crue ? C'est tellement la folie ce qui se passe ici, dans nos quartiers, c'est tellement la folie, ma vie ! Comment tous ces gens ignorants de la réalité pourraient-ils comprendre ma souffrance, ma honte et ma culpabilité ? Comment pourraient-ils comprendre la peur que j'ai de retomber dans les griffes de mes agresseurs et de subir leurs repré-

sailles pour avoir porté plainte ? Peuvent-ils imaginer la prison dans laquelle tout le monde m'a
enfermée depuis les viols, en mettant sur moi
cette étiquette indécollable : « fille facile, meuf à
cave, salope » ?

Car, depuis les viols, je vis un harcèlement permanent de la part de personnes sans scrupules. Je
subis dans des lieux publics leurs insinuations,
leurs remarques acides, leurs injures. Tu crois
pouvoir te protéger, mais tout ce venin, ça rentre
en toi, ça te déglingue un peu plus chaque jour
et tu finis par y croire, tu finis par t'identifier
à l'image qu'ils ont collée sur toi ! Pendant
des années, je n'ai pas pu vivre normalement, je
devais me cacher en permanence. J'étais toujours
sur le qui-vive et je m'interdisais les lieux qui
risquaient d'être « chauds ».

Pourtant un soir, je suis allée à un concert
de rap, le premier en France, avec des groupes mythiques. Une bonne soirée en perspective.
J'adore la musique et je voulais y aller malgré ma
peur. Cela faisait deux ou trois ans que je m'interdisais tous les endroits où l'on passait la musique
que j'aime. Ce soir-là, j'en avais marre de me
cacher. J'y suis donc allée. Premier groupe :
Jungle Brothers. Tout se passe bien, je suis dans la
musique, j'oublie ce qui se passe autour de moi.
Deuxième groupe, l'ambiance devient lourde. Il y
a des problèmes de son et les gens s'impatientent.

Tout à coup, un mec s'approche et me dit : « Alors, il va bien Jaïd ? Moi aussi, j'en ai une grosse ! Tu veux pas la goûter ? » J'étais dans le son, en plein bonheur, bougeant sur la musique. Cette phrase me glace et me fige sur place. Je comprends tout de suite la situation. Je vois aussi que le gars n'est pas seul, une petite bande l'accompagne. La flippe m'envahit. J'arrive quand même à me soustraire du cercle qu'ils avaient fait autour de moi et je me fonds dans la foule pour quitter le concert. J'ai réussi à m'en sortir, mais j'ai eu chaud.

Je ne dis pas que mon quotidien était fait de guet-apens de ce genre, mais ces rencontres hasardeuses, la honte d'être cette fille facile et la peur que cela entraînait envenimaient mes jours. J'étais devenue un animal traqué. Cela a duré des années, car mon histoire a fait le tour des quartiers, des villes. Tout le monde savait que j'avais osé mettre un soi-disant « big boss » au placard. C'est cela, la loi des cités.

En attendant, je me retrouve en galère. Pas de foyer, pas de projet, juste une grande souffrance qui empoisonne ma vie. Je suis dans un désarroi total. L'éducateur n'a pas trouvé de foyer pour l'instant et je ne veux pas rentrer chez moi. Je galère donc. Je bouge, à droite, à gauche. Je ne sais jamais où je vais dormir et si je vais manger. Je ne sais même pas ce que je ferai une heure plus tard. C'est ça, la galère ! T'es prisonnier de l'instant présent, tu prends ce qui se présente, le bon et le moins bon. C'est dur à seize ans de se retrouver seule, en galère. À l'époque, je ne voulais même pas voir que c'était dur, sinon, j'aurais flanché. Si je m'étais rendu compte de la difficulté de ma situation, les émotions m'auraient fait craquer. Je ne pouvais pas me le permettre, il fallait tenir. J'enchaînais sans réfléchir.

Au début de ma galère, je me souviens avoir squatté chez Clara, une vieille connaissance retrouvée par hasard. Ses parents, partis en Guyane, lui ont laissé la maison. Inutile de préciser que « c'est la fête au village » tous les soirs. Boîte, alcool, teshi, rancart à gogo. On s'la fait belle ! Pour Clara, ce sont les vacances, pour moi, c'est le tourbillon noir habituel. Faire tout ça pour oublier la réalité de ma vie. Putain ! Que j'aimerais que tout cela s'arrête, mais c'est seulement les vacances qui s'arrêtent. Les parents rentrent. Je dois repartir en galère.

Je me souviens aussi avoir traîné ma gueule avec des toxicos pendant un certain temps, des gars de Villiers-le-Bel, qui squattaient un appart à Saint-Denis. C'est pour le squat que je suis avec eux, pas pour la dope. Mais je me retrouve quand même à partager leur quotidien : taper des appart, revendre ce qui est revendable à Barbès, chercher de la came dans des cités glauques. Pour

143

ma part, un peu de teshi et un bon « merguez-frite-ketchup-mayo », qui à l'époque coûtait dix balles à Gare-du-Nord, faisaient mon affaire.

J'ai comme ça dans ma tête plein de moments, plein de gens, plein d'expériences, plein de « je m'souviens... ». Bons ou mauvais. « Je m'souviens » que quelque temps après avoir quitté le foyer de Nogent, je me décide à rechercher ma copine Salima, qui a fugué du foyer en compagnie d'une connasse pleine de vices. Je connais Salima, elle est naïve avec un grand cœur. Même si je profite de Salima pour les petits vols, je ne veux pas qu'il lui arrive quelque chose. En cherchant à droite à gauche, j'apprends qu'elles bougent du côté de La Défense. Moi, pas peur ! J'y vais seule, ou presque. Accompagnée de mon ami le Cutter qui ne me quitte pas. Je ne trouve pas Salima à La Défense, mais je tombe sur la connasse et son lascar. Je ne me démonte pas pour autant.

« T'as vu Salima ? » La meuf est avec son mec. Ce qui lui donne le droit, croit-elle, de se la péter et de me toiser avec son air de pimbêche. Ooula ! Faut pas qu'elle me regarde comme ça celle-là ! Je vais lui faire manger ses yeux à c'te tordue ! « J'sais pas ! » Oh ! Qu'est-ce qui t'arrive !? T'as vu ! Commence pas à gazer parce que ton mec est là !

« Pourquoi tu veux la voir d'abord ?

— T'es le nouveau keuf du quartier, toi!?

— Même si je le savais, j'te le dirais pas! »

J'crois que je vais commencer par lui faire manger ses dents, à celle-là. Elle se la pète de trop. Elle avait déjà essayé au foyer. Elle voulait me mettre à l'amende ou me tapait son vice de chiffonnière. J'l'ai rembarrée direct, la vilaine. Et là, elle essaie encore. Elle compte sur son mec pour me mettre une trempe, la salope. Mais c'est pas comme ça que ça s'passe. Au contraire, son gars, il kiffe : deux meufs en train de s'embrouiller, le « bonheur »! Je capte direct dans ses yeux qu'il n'a pas envie de bouger, mais plutôt de voir du « spectacle ». De voir comment sa « go », sa « zoulette », sa « caille » va se débrouiller. Dès que j'ai compris son regard, je me suis déchaînée sur elle, l'attrapant par les cheveux pour la faire tomber à terre. Au sol, je la bourre de coups de pompe dans la tête et le ventre. J'essaie de lui crever les yeux. Je la malmène grave! Je la lâche pas cette pute. J'arrive à la maintenir de force pour approcher mon cutter de sa joue. Je suis prête à lui taillader la face.

C'est alors qu'un monsieur qui passait par là pour rentrer chez lui nous arrête net. Plutôt, il m'arrête net dans mon élan parce que j'allais faire une grosse connerie. Il a le courage de s'interposer, de nous séparer en nous engueulant. Il est stupéfait de voir des filles se battre ainsi. Tout ça

145

sous l'œil sadique du lascar, qui ne bouge pas, ne nous sépare pas. Il regarde impassible, ce salaud.

Allez ! Un dernier « je m'souviens... », douloureux et violent celui-là aussi. Toujours en galère. Ma situation n'avait pas trop changé, sauf que je retraîne en bande avec des meufs, car pendant longtemps je bougeais et faisais mes coups seule. Là encore, c'étaient des connaissances retrouvées par hasard. Elles et moi, on se ressemble. Galériennes, fugueuses, voleuses, fumeuses de teshi, buveuses d'alcool, « défonçages de gueule » par les parents, chercheuses d'embrouilles à plein temps, « sortages » de mecs à tout va. C'est les mêmes !

Un soir, on décide, toutes ensemble, d'aller à une soirée Voltage FM à Marcadet-Poissonniers. Un seul souci. On espère toutes ne pas se faire jeter à l'entrée avec notre look jeans-baskets-blouson. Sur le chemin, on passe chez l'épicier s'acheter un petit flash de sky, qu'on coupera avec du Coca pour nous mettre dans l'ambiance. La soirée se passe dans un hangar. J'écoute du bon son, c'est le plus important. Je me mets à l'aise dans un coin pour confectionner un pétard, mais avant ça, je fais ma petite ronde dans la salle pour ne pas faire de mauvaises rencontres. Même défoncée, j'ai l'œil. La soirée se passe tranquille.

Je ne me souviens pas comment ni pourquoi je m'embrouille avec un gars. Tout ce que je me rappelle, c'est une patate en pleine face. Heureusement que mon nez a de l'entraînement. Je lui réponds par un coup de boule et ma canette de Coca dans sa gueule! Je profite de la surprise pour m'esquiver dans la salle. Tout en essayant de ne pas retomber sur lui, je cherche mes copines. Je les retrouve, elles discutent avec des potes du quartier, des potes à Jaïd et K. Et là, c'est toute la poisse de l'univers qui me tombe dessus. C'est pas possible! Notre monde est un tout petit village. Tout le monde se connaît. Il faut que je me tire d'ici au plus vite. Et à ma grande surprise, j'ai droit à un « Ça va? ».

C'est « soirée-chelou » ce soir. Vraiment. Ça fait beaucoup d'émotions en peu de temps. Une droite dans la gueule, les amis à Jaïd et pas les plus tendres. Et surtout, une trouille grandissante, envahissante s'empare de moi. C'est quoi cette soirée de oufs? Si bizarre que ça puisse paraître, les amis de Jaïd me tendent un verre de whisky, genre « on calcule pas le passé ». Mais qu'est-ce que je fous là? Je suis en train de trinquer avec ces fils de pute en surveillant d'un œil l'autre merde qui me cherche pour se venger du coup de boule et de l'humiliation qu'il s'est mangés en pleine face. Une situation de dingues! Comment est-ce que j'ai pu me sortir de cette merde? C'est un des potes à Jaïd qui a dit au « droiteur de meufs » d'aller jouer ailleurs. Surprenant. Je suis encore sous l'effet de la surprise, mais toujours sur mes gardes. Sur mes gardes, c'est tout ce que je peux être. C'est tellement fort en événements que je n'arrive plus à penser. Et pour cause, la soirée bascule : bagarre générale dans la salle. La musique s'arrête, les lumières s'allument. Je vois des chaises voltiger, des coups partir de tous les côtés, des gens effrayés qui essaient de se sauver. La baston se poursuit dans la rue, nourrie de coups de feu tirés de part et d'autre. Mes copines et moi sommes allongées au sol. On évite les balles qui sifflent dans les airs au-dessus de nos têtes. T'as l'impression que je raconte un film ? Eh ben non ! Ça paraît tellement dingue ! Une soirée de oufs. Une soirée « t'as mal à la tête » !

Des embrouilles, des galères, des histoires aussi violentes, j'en ai plein la tête, trop même. Un chapitre ne suffirait pas. Attention, je ne suis pas en train d'étaler mes « exploits ». Je rends juste compte de la violence dans laquelle j'ai baigné. En fait, c'est toujours comme ça. Ça part de rien et ça finit en ouilles ! Je ne suis pas très fière de ce que j'étais à ce moment-là. De toutes ces bastons, ces mises à l'amende. À l'époque, les filles comme moi, nous n'étions pas des jeunes filles, nous étions des petits mecs, des petits soldats, des boules de feu prêtes à exploser. Avais-je le choix ? Ma réputation de « fille facile », je la sauvais comme ça, en me bagarrant, en crachant ma violence. Je malmenais mon corps, et il encaissait. J'étais une kamikaze, je m'embrouillais autant avec les filles qu'avec les garçons. J'étais rodée : les coups, je connaissais. Je n'avais pas peur et j'en ai pris autant que j'en ai donné. Ma technique d'intimidation, c'était ma voix. J'ai une voix grave, qui porte et impressionne. Si ça ne suffisait pas, j'agissais !

La galère, c'est ça. Tu enchaînes les rencontres, bonnes ou mauvaises, les embrouilles, les endroits pour dormir, les quartiers, les mecs. Il ne faut pas longtemps dans la rue pour tourner mal, quelques semaines à peine. Très vite, tu n'as plus de respect pour toi, tu fais n'importe quoi. C'est une fuite en avant perpétuelle.

Je continue néanmoins à rencontrer mon éducateur pour savoir où il en est de ses recherches de foyer. Aucune place nulle part, il faut donc attendre encore. De temps en temps, je vais voir ma mère à son boulot, je lui gratte un peu de tunes. C'est ma façon à moi de dire que j'existe, car j'ai un peu l'impression que depuis mon départ, mes parents ont fait une croix sur moi. Après, je repars dans mes galères et dans mes frasques.

En attendant, je dors n'importe où, dans les voitures, les escaliers, chez des gens de passage, dans des bleds paumés. Un soir, j'accepte de faire ce que me demande un type en échange d'un matelas et d'un peu de tunes. Quand je sors de chez lui, je me sens mal, honteuse et vide. J'ai l'impression d'être un tas de merde, d'être crade, dégueulasse. C'est une fois de trop pour moi. Je me fais horreur d'être tombée si bas. Je garde au fond de moi ces secrets honteux qui s'ajoutent à mon dégoût. Comme je me déteste! Comme je me hais! Je n'aime pas la violence qui m'habite et je hais l'objet sexuel que je suis devenue, cette « fille à cave » comme ils disent. Je me vois comme une poupée de chiffon, résignée et inerte, qu'on se passe de bras en bras et dont on peut faire ce que l'on veut. Je peux suivre n'importe qui dans la rue, je dors avec n'importe qui. Je bascule d'état en état. Fille à cave, fille violente, fille souriante, fille épileptique, fille gentille, fille galère, fille galère toujours! Je suis dans une spirale qui m'aspire. J'essaie quand même de ne pas me noyer.

Nous sommes le 22 décembre 1989. Cela fait trois mois que le foyer de Nogent a fermé ses portes et je n'ai toujours rien trouvé. Je viens d'avoir dix-sept ans, j'ai l'impression d'en avoir cent. Je suis à Saint-Denis. Je viens de sortir de chez le coiffeur. Je suis dé-goû-tée, j'ai payé dix keuss pour une coupe, disons « pyramide », que je m'empresse de camoufler avec mon chouchou. Place du 8–Mai-1945. Je galère sur un banc en fumant des oinjes et en claquant des dents, je regarde les gens passer. J'aimerais bien rencontrer une tête pour partir en galère. Un gars, une meuf, n'importe. En vérité, je ne sais pas où dormir ce soir, il faut que je trouve un truc.

J'en suis là de mes réflexions quand je tombe sur un gars que je n'ai pas vu depuis longtemps. Lyes. Il tourne en voiture avec son pote Hafid. Ils sont au feu rouge quand nos regards se croisent. On se reconnaît immédiatement. Il descend de la voiture pour me faire la bise en disant à son copain qu'il le rejoint à la station d'essence. Je le sens content de me voir, et c'est réciproque. Cela fait à peu près deux ans que l'on ne s'était pas croisés. La dernière fois, c'était au cinéma. On avait tous fraudé pour aller voir le film. Forcément ça crée des liens...

Il me demande ce que je fais là. Je mitonne un peu, histoire de ne pas lui montrer que je suis en galère. Je lui dis que j'ai un rendez-vous, que j'attends un copain.

« Si tu veux, j'attends avec toi. Comme ça on continue la convers. Alors ? Ça fait longtemps qu'on ne s'est pas vus ! Tu traînes par ici ?

— Ça m'arrive... Mais je suis plus sur Paname.

— Et ce soir, tu fais quoi ?

— Je sais pas... Peut-être en soirée. »

En vérité, j'attends une personne qui n'existe pas. Je galère. Je ne me vois pas lui dire ça ! Je me la raconte, j'embellis ma vie. Je laisse faire le

cours des choses, comme d'habitude. S'il me propose un truc, je le suivrai, sinon je trouverai bien
un hall pour dormir. Et un hall chauffé parce que
ça caille dehors.

« Il a pas l'air de venir ton copain !

— Tu me passes un peu de ton sky ? J'ai froid.

— Ah ! Tu tises !

— Je tise, je fume, je sors. Qu'est-ce qu'y a ?
Ça te dérange ?

— Ça va ! Je suis pas un intégriste. Tu fais ce
que tu veux. J'te juge pas. Au contraire, j'aime
bien les meufs comme ça. Elles ont de la bouteille.
Y a pas moyen de la leur faire à l'envers ! »

J'aime bien ce qu'il vient de dire. Il a les idées
larges. Ça ne le choque pas une fille comme moi,
qui bois, qui fume, car le reste, il ne le sait pas
encore. Néanmoins, ce qu'il vient de me dire a
atteint mon cœur, stupidement cela m'a touchée.
Voyant que mon copain imaginaire n'arrive pas,
il m'a proposé de passer la soirée avec lui. Il
m'invite au cinéma. Il décommande donc son
pote. On décide de boire un verre, en attendant
la séance de *Mélodie pour un meurtre* avec Al Pacino
— notre parrain à tous ! —, dans un bar de la
place de Clichy. On se raconte nos vies. Bien sûr,
je ne m'étale pas trop, mais j'apprécie le moment
que nous passons ensemble. Il me fait rire. Je me
sens bien en sa compagnie, mais je reste sur mes
gardes. Pour moi, le vice est partout.

Au ciné, j'attends le moment où il va mettre sa main sous mon tee-shirt et où il va profiter de moi, comme les autres. Je connais la chanson. Rien ne se passe. Serait-il différent ? Me respecterait-il ? Au retour dans le métro, on se tape un joint, on discute toujours. Il s'inquiète de savoir si mes parents ne vont pas gueuler du fait que je rentre tard. Je lui raconte une tchatche du style : mes parents sont ouverts d'esprit, cool. Blablabla...

Je ne lui dis rien de ma vie et lui fais la bise, en le remerciant pour cette soirée sympathique. Je le quitte au métro Porte de Paris, à Saint-Denis. Puis, je trace mon chemin. En route, je me repasse le film de la soirée dans la tête. Je repense à son sourire, son humour, à tout ce qu'il m'a dit. Mon cœur bat la chamade. D'un autre côté, je ne me fais pas d'illusions. Une meuf comme moi, c'est pour rigoler, taper un joint. Avec le lourd dossier que je traîne, je ne suis pas une meuf avec qui on reste, on projette un avenir, on se marie. Je suis juste une meuf avec qui on tire un coup. Je suis dans mes pensées lorsque j'entends : « Tu marches jusqu'où comme ça ? » Le dingue ! Il m'a suivie.

« Tu m'as fait peur ! Ça y est, je suis arrivée. C'est au bout de la rue.

— Ah ouais ! Ben, je t'accompagne. Comme ça, je suis tranquille.

— T'es pas obligé, tu sais... »

C'est la première fois que quelqu'un s'inquiète pour moi. Je suis profondément touchée par son attitude. Mais puis-je réellement faire confiance à ce mec-là ? Il m'emboîte le pas. Je me sens prise au piège. Je suis dans la merde ! Comment lui expliquer ma situation ? Je ne veux pas lui dire que je dors dehors mais, d'un autre côté, je n'ai pas envie de le laisser partir. Je sens que je peux lui faire confiance. Sa présence me fait du bien.

« Bon, écoute, je t'ai menti ! J'ai pas de chez-moi. Je galère. Je sais pas où dormir. Ça va !

— T'as vu ! Je m'en doutais un peu. C'est pour ça que je t'ai suivie, pour voir ce que tu allais faire. Ça va ? T'as le moral ? T'allais marcher jusqu'où comme ça ?

— Ben, voilà, tu sais tout ! Tu sais, j'ai l'habitude. Je vais me débrouiller. C'est bon ! Tu peux rentrer chez toi.

— Si j'ai compris ? Toi, je te laisse dormir dehors. Et moi, je rentre tranquillement dormir dans mon lit au chaud ! Mais je suis une enflure si je laisse faire ça !

— Écoute ! Jusqu'à aujourd'hui, ça n'a dérangé personne. Alors, je ne vois pas pourquoi ça te dérangerait !

— J'ai un peu de tunes. On va chercher un hôtel, OK ? Mais je te touche pas. Je rentre chez moi et on se reverra demain. OK ? »

154

Putain! C'est qui, ce mec? Il me paie l'hôtel. Il me donne de l'argent pour le lendemain. Sans rien en échange!? Depuis toutes ces années, c'est la première fois que je rencontre un gars qui me propose de m'aider sans rien en retour. Serait-ce enfin une épaule sur laquelle je pourrais me reposer?

Nous trouvons un vieil hôtel à cent balles. Il est tout miteux, avec des cafards partout, mais je m'en fous. Cela fait si longtemps que je n'ai pas dormi. La tête bien reposée. En sécurité. Alors ça m'est bien égal. Lyes veut repartir, comme convenu. Mais je n'ai pas envie de rester seule. Je lui demande de rester avec moi. J'ai envie de continuer la discussion. Ça me fait du bien d'être avec quelqu'un. On s'installe sur le lit. Je joue la meuf à l'aise. Mais je n'en mène pas large. Lyes roule un pétard, je le regarde faire. Je trouve qu'il a une tête de nounours avec un air d'Asiatique. Il a des joues élastiques. T'en fais ce que tu veux! C'est pas une bombe, mais il a beaucoup de charme. Il est très attirant.

Lyes me raconte qu'il fait partie d'un mouvement de tagger, les TWK et les 93 NTM. L'un des premiers groupes du genre à avoir circulé et cartonné dans tout Paris. Il me raconte les « aventures » que cela occasionne. Je l'écoute parler de sa famille. Ses parents, son frère, ses petites sœurs. J'aurais aimé que cette nuit ne s'arrête jamais. Plus aucun souci. Rien que nous deux.

Un autre pétard. Et je m'emballe. Je déballe tout, toute ma vie de chiotte. Je balance les fugues, les viols, les menaces, l'avocate, les conflits avec mes parents. J'en ai tellement à dire. Ça me soulage de parler, de dire, de raconter. D'avoir quelqu'un « de mon côté », à mes côtés. J'en ai tellement besoin. Lyes s'emporte : « Comment c'est possible ? Laisser sa fille dormir dehors ! » Je crois bien qu'il est le premier à trouver cette situation épouvantable et l'attitude de mes parents condamnable. Le regarder s'indigner pour moi me fait chaud au cœur.

La gentillesse de Lyes, ses regards me bouleversent. Il me donne envie d'être entière, sincère. Il me donne envie de tout lui dire sur ma vie, de tout lui donner. J'aurais aimé qu'il soit le premier. J'aurais aimé ne jamais rencontrer tous ces vicelards d'un soir. Ses attentions, ses regards fissurent petit à petit mon cœur bétonné. J'ai beau être grave dans la merde, ces moments sont des moments de bonheur extraordinaires. Même si j'ai peur que ce bonheur s'enfuie trop vite. Allongés sur le lit, on continue de discuter dans le noir. Ni lui ni moi n'avons envie de dormir. J'arrive à deviner son visage dans le noir, je l'observe.

« Ferme tes yeux, me dit-il. S'il te plaît. » Et je sens ses lèvres chaudes se poser sur les miennes. « Repousse-moi, si tu ne veux pas... » Mais j'ai pas envie de le repousser. Je veux encore des baisers, timides et chauds. Je veux encore ses mains qui me caressent le visage. Je veux encore sentir son souffle. Je voudrais que cet instant ne s'arrête jamais. Je veux m'offrir à lui de tout mon être. Je lui demande de me faire l'amour. Il me dit qu'il ne veut pas me brusquer. Il me dit qu'il ne m'a pas aidée pour profiter de moi. En voilà un qui fonctionne autrement qu'avec sa « quéquette » à la main ! Cela m'étonne, me surprend même. Je finis par m'endormir dans ses bras. Dans mon sommeil, je sens des baisers tendres et chauds dans mon cou. Je ne rêve pas. C'est Lyes. Au petit matin, nous nous réveillons nus, l'un contre l'autre. Nous avons fait l'amour. C'est la première fois, depuis Mathieu, que quelqu'un me fait l'amour et ne me baise pas. C'est Lyes.

Il devient mon compagnon de galère. Durant la journée, nous faisons nos affaires chacun de son côté. Le soir, il me fait souvent manger en cachette chez lui. Quand je n'ai rien trouvé pour dormir, il reste avec moi. Nous prenons alors des couvertures et passons la nuit dans la voiture de son frère, une petite R5 bleue. Ces moments passés avec Lyes transforment la dureté de ma galère. Je suis bien avec lui et ça change tout.

13

Confrontation

En rentrant dans mon quartier à Pierrefitte, histoire d'aller voir mes petites sœurs que mon père m'interdit d'approcher, j'apprends par des bouches bienveillantes que je ne suis pas la seule à avoir « tourné ». Jaïd, K. et les autres auraient participé à d'autres viols en réunion. Ils en auraient une dizaine à leur actif. K. aurait entraîné pas mal de ses potes dans ses « exploits ». J'entends aussi des conneries du genre :

« Ah ! T'es encore vivante ?

— Comment ça ? Ben, ouais !

— Parce qu'il y a un bruit qui court sur ton compte. On dit qu'on t'a trouvée découpée en morceaux dans une poubelle ! Et qu'ils ont fait tout ça pour te punir d'avoir porté plainte ! »

Ou bien alors, c'est : « Tu sais pas ? Il y en a qui disent que tu l'as bien cherché en traînant comme tu le faisais ! Et K. va te bousiller quand il sortira de prison ! » Du « radio Cité », tout ça.

Pour le seul plaisir de « jacter », « commérer », « chouetter » et surtout salir les gens.

J'ai appris à me méfier de ce que racontent les gens. Je sais que la plupart d'entre eux aiment entretenir une psychose. Ça n'en finit pas. Untel a dit ci, untel a dit ça. Ces rumeurs, cette méchanceté me rendent folle. C'est comme des droites en pleine gueule. À chaque attaque, mon cœur bat à mille à l'heure. Cette histoire me suit partout. Elle laisse une traînée derrière moi. Je me sens comme l'avion qui, l'été sur les plages de la Côte d'Azur, balade sa banderole accrochée au cul.

Quelque temps plus tard, je suis convoquée au tribunal de Pontoise, dans le bureau du juge d'instruction, pour une nouvelle confrontation avec K. Cette fois-ci, ma mère m'accompagne, elle a compris que c'était une erreur de m'avoir laissée y aller seule avec mon père, la dernière fois. Quelle galère d'aller à Pontoise ! K. est là, avec ses deux avocats pour lui tout seul. Moi, je n'ai que l'avocate attribuée par l'association. Celle que je ne peux pas encadrer. Mes jambes flageolent pendant toute la durée de la confrontation. C'est la première fois que je parle devant un juge mais il ne s'agit pas ici de me défendre, simplement de relater les faits. Ce n'est pas un jugement.

Pendant la confrontation, j'apprends que K. a bien plusieurs viols en réunion à son actif, j'entends des prénoms de filles que je ne connais pas. Radio Cité est donc bien informée. K. ment. Il balance Jaïd et d'autres copains à lui, mais pas ceux qui étaient là ce soir-là. Pourquoi ? Ensuite, il me fait passer pour une crasseuse, une allumeuse. Il ajoute, bien sûr, que j'étais consentante. Je l'aurais même supplié de me sauter. Je me sens encore une fois humiliée, souillée, salie. L'enjeu est de taille : c'est ma parole contre la sienne. Heureusement, le juge me défend. Plus que l'avocate, d'ailleurs. Qui est complètement dans le gaz... Elle ne dit rien d'intéressant lors de la confrontation et ne me parle même pas à la fin. Elle se barre direct. « Pas le temps », me dit-elle ! D'ailleurs, je ne l'ai plus jamais revue. Incroyable ? Mais vrai.

Ce n'est pas la gloire cette confrontation. Je me console en me disant qu'au procès, tout sera différent. Je m'imagine, demandant la parole au président pour lui raconter ce qu'a été ma vie depuis ce jour-là. En attendant, je garde tout ça au chaud pour le jour du procès. Après la confrontation, ma mère m'invite au restaurant. Je n'ai pas très faim, mais je comprends qu'elle veut venir vers moi et me consoler. C'est gentil. Seulement, pendant tout le repas, elle me parle d'avenir.

« Il faut que tu oublies tout cela ! Tu dois maintenant regarder devant toi. Tout ça c'est du

passé! Il faut que tu saches que je crois en toi!
Oui, je suis sûre que ça va marcher pour toi,
crois-moi!» D'accord, d'accord! Le problème,
c'est que je n'en suis pas là. J'ai plutôt besoin de
laisser aller mon chagrin, de parler de ma souffrance. Et elle ne m'en donne pas le droit. « Allez,
mange! Ce n'est pas grave, il ne faut plus penser
à tout ça, tu te fais du mal. Il faut penser à
demain!» Je me tais donc, et je mange. Ai-je
d'autre choix?

De toute manière, cela n'a plus d'importance.
Il n'y a plus qu'une chose qui compte : le procès.
J'attends beaucoup de ce procès. Il faut que justice soit faite. Que K. et ses potes soient punis. Je
voudrais qu'on me rende ma dignité perdue.

En attendant le procès, je me balade d'un
endroit à un autre. Toujours en galère. Entre
deux fugues, j'intègre des foyers. Gambetta où je
ne reste pas. C'est un foyer de toxicos avec des
barreaux aux fenêtres. Créteil, un truc lugubre où
l'on est des millions. Aubervilliers, Pelleport,
Montreuil, Crimée! J'aimerais un foyer comme
Nogent, avec des règles de vie cool, mais il semble
que ça ne court pas les rues. Je rencontre des
éducateurs. Je raconte mon histoire, encore et
encore, en zappant un peu. Il y a trop de rémi-
niscences à chaque entretien pour un foyer. Je
raconte les viols, ça suffit. Sinon, ils ne tiendraient
pas le choc. Bien souvent, je ne fais pas l'affaire,

je ne rentre pas dans les critères de la maison, est-ce mon histoire qui leur déplaît? Quand je leur conviens, ce sont eux et leurs règles balourdes qui ne me conviennent pas.

Enfin! Mon éducateur me trouve une place au foyer de Charenton. Un foyer de meufs, que des meufs! Je ne m'y sens pas bien, mais je n'ai pas le choix. Je commence à être fatiguée de cette vie de nomade. Mes crises d'épilepsie se multiplient. J'explose pour un oui ou pour un non. Un mot de travers et c'est le coup de boule. Je ne discute plus, je frappe. Je frappe parce que je n'ai pas les mots. La souffrance les étouffe dans ma gorge. Je frappe parce que je n'y vois plus rien. La souffrance m'aveugle.

Pour rester à Charenton et bénéficier d'une aide pour un appartement, je dois avoir un projet. Qu'est-ce que ça veut dire « avoir un projet »? Je n'arrive pas à leur dire que je suis fatiguée, que je n'en peux plus. Je voudrais pouvoir me reposer et me vider la tête. Mais rien ne sort de ma bouche. Leur discours ne varie pas des autres discours entendus partout ailleurs. Ça tourne à la rengaine. Me tenir tranquille, penser à l'avenir, avoir un projet. Parents, juges, éducateurs, avocats! Nique sa mère! Je ne veux plus écouter vos salades répétitives et moralisatrices.

Je gagne du temps. Je dis que je fais des démarches. En vérité, je passe mes journées à picoler et à fumer avec Lyes. Je ne suis pas en état de chercher du travail. Je n'en ai pas le cœur. Je n'ai qu'une envie : me défoncer. Pour oublier... Au foyer, il n'y a qu'une meuf qui me botte, c'est Nina. Elle est chilienne, très belle fille, avec des cheveux longs noir de jais, des yeux noirs en amande qui pétillent de malice et un petit grain de beauté sur le coin de la bouche qui la met en valeur. Elle est vraiment belle et elle fait des ravages. Il lui est arrivé la même histoire qu'à moi : viol en réunion. Elle a payé cher sa beauté, tout comme moi. Oh, je ne dis pas que je suis une bombe, mais le peu que j'avais, ils me l'ont saccagé. Nina est la seule à pouvoir m'approcher. Le soir, elle vient fumer sa clope avec moi. Elle me raconte ses histoires de cœur, je lui parle de mon bonheur d'avoir rencontré Lyes.

On s'aperçoit vite que je n'effectue aucune recherche d'école ou d'emploi et comme je deviens vraiment dangereuse pour les autres filles, on me remercie rapidement. Je quitte donc le foyer et Lyes m'invite à vivre chez lui, dans une cité à Saint-Denis. Sa mère, très peinée par ma situation, a accepté que je vive chez eux. C'est une femme courageuse et généreuse. Je la respecte beaucoup. Elle partage tout entre ses enfants et moi. Lyes a un grand frère, Razhee, et deux sœurs plus jeunes que lui, Insaf et Jouda. Insaf a mon âge, à un mois près, Jouda est un peu plus jeune. Les parents de Lyes sont séparés. Son papa vit en Tunisie mais revient de temps en temps en France séjourner avec ses enfants. Je retrouve chez eux la chaleur d'une famille et ça me fait du bien. Ces gens m'ont ouvert leur porte, me donnent à manger, ont pour moi de l'attention et de l'amour. Ils m'accueillent comme si j'étais leur fille. De plus, ils m'adoptent sans me poser la moindre question. Je suis bouleversée par tant de sollicitude et je n'ai pas le sentiment de mériter autant de générosité et d'amour.

Mon séjour chez Lyes est ponctué de multiples crises d'épilepsie. Des crises terrifiantes. J'en fais parfois jusqu'à huit par jour. Je passe mon temps à faire des allers-retours à l'hôpital, mais je ne veux pas y rester. Mes crises expriment ce que personne ne cherche à savoir. Je sors ma haine, ma rage de l'injustice subie, de l'humiliation endurée. Je lâche tout ça dans mes hurlements. Mon corps, transformé en pierre, se met à trembler tellement qu'il décolle du sol. Je bave comme un animal sauvage, je m'automutile, je me frappe, je me griffe le visage. Lyes et sa famille ne comprennent pas. Ils sont terrifiés par ce qu'ils voient. La nuit, je fais aussi des cauchemars. Je hurle, réveillant toute la maison. Le matin, Jouda évoque mes cauchemars avec beaucoup de pudeur et d'humour.

Aujourd'hui, je crois que je n'avais que cette attitude dangereuse et destructrice pour recevoir

164

de l'attention et de la pitié. Cela me donnait l'impression d'être aimée. Je n'avais que ce moyen : un truc qui pète à la gueule ! Un truc qui crache cette souffrance qui m'asphyxiait et me bouffait jusque dans ma chair, comme si des vers me rongeaient.

Il n'y a qu'un problème avec la famille de Lyes, ce sont les sorties. Son papa n'aime pas trop que ses filles « traînent » dehors, et il en est de même pour moi. Je ne suis plus habituée à rendre des comptes, mais plutôt à rentrer et sortir comme bon me semble. Il me faut donc ruser chaque fois que je sors, ou que je veux aller fumer une clope, un joint. Lyes et Insaf me couvrent. Un jour, alors que je suis en bas d'un immeuble à discuter avec Lyes et ses potes, son papa rentre en voiture. Il me voit fumer et parler avec les garçons. Nous ne faisons rien de mal, mais il est très en colère car je lui ai manqué de respect. Il dit à Lyes qu'il faut que je quitte sa maison. Ce que je fais aussitôt. Je n'en voudrai jamais à ce monsieur. Je comprends son point de vue et lui suis reconnaissante d'avoir fait pour moi beaucoup plus que la plupart des gens. Lyes m'aide alors à chercher un autre lieu. Je squatte donc chez une copine à lui, et on se paie l'hôtel quand on a de l'argent. De temps en temps, je fais un saut chez mes parents, mais je ne fais que passer.

14

Putain de sac !

Ma mère m'annonce qu'elle part pour l'Algérie avec mes sœurs. Comme mon père est en vacances au Maroc, elle peut me laisser la maison pour moi toute seule. Je ne me fais pas d'illusions, si ma mère me laisse les clefs de la maison pour l'été, c'est qu'elle a ses raisons. Elle veut me reconquérir, et cela passe par mon retour au bercail. Elle se sent aussi humiliée parce que j'ai choisi de vivre chez des étrangers, les parents de Lyes. De quoi a-t-elle l'air pour ces gens-là ? Elle a réussi à se mettre bien avec la mère de Lyes, histoire de se faire connaître et de montrer qu'elle est une bonne mère. Je connais bien ce petit jeu. Elle a toujours cherché à démontrer que j'étais en cause et pas elle. Son couplet habituel : « Tu es dure, difficile à élever, capricieuse. » Elle donnait partout cette image de moi et j'en ai beaucoup souffert. Ce n'était pas moi. La mère de Lyes est quand même restée sur ses gardes, se rendant compte que quelque chose clochait dans l'attitude de ma mère.

De toute façon, je suis fatiguée des galères, du shit, de l'alcool, de dormir à droite et à gauche, des crises d'épilepsie qui m'épuisent. J'ai besoin de me poser, et je n'ai pas d'autre solution que de rentrer chez moi. Je me dis que les choses ont peut-être changé à la maison, que les événements les ont fait réfléchir et que je vais peut-être avoir droit à plus de compréhension.

Donc, je rentre peu de temps avant que tout le monde ne parte en vacances. Personne ne me calcule, excepté mes sœurs. Je rentre, je sors, mais je n'ai plus envie de traîner. Je reste toute la journée à fumer des joints et à regarder la télé. Je ne sors que quand Lyes m'appelle. Je passe beaucoup de temps seule avec mes pensées autodestructrices. Mes parents ne se rendent pas compte de la gravité de ma dépression. Il n'y a plus rien d'humain en moi, ni rire, ni larmes, ni douceur, et ils ne s'en aperçoivent pas. Ils s'arrêtent à ce qu'ils voient : une bête sauvage qui hurle sa souffrance, qui insulte et vocifère, qui se tord de douleur dans des crises d'épilepsie phénoménales.

Ma mère me croit malade des nerfs, comme son frère, et c'est sans doute pour cela qu'elle a un stock de trucs pour dormir dans son propre tiroir ! Mon père m'ignore. Il flotte dans la maison un air de « comme si de rien n'était ». Je rôde comme un fantôme, personne ne me voit. On me laisse me décomposer comme une merde. Je me sens sombrer, glisser doucement vers une folie qui m'attire. Je suis partagée entre l'envie de partir vers elle et celle de mourir. Je souffre trop. Je ne sais plus ce qui me fait le plus mal : mes viols, ma vie, mes parents, ou les ennuis que je commence à avoir avec Lyes. Je ne sais pas. Je sens seulement une boule remplie de vermine me dévorer lentement, ma tête bouillonner à en éclater et la souffrance m'aveugler.

Un après-midi où je suis seule chez moi, je prends dans le tiroir de ma mère ses trucs pour dormir. Je les jette dans ma bouche, un à un, comme des Tic-Tac. Voyant que ça n'a pas d'effet, j'en reprends une grosse poignée, puis encore deux autres. Enfin, je sombre dans le néant. Je dors pendant deux jours. À la maison, on ne se rend compte de rien, personne ne me calcule. C'est le téléphone qui me réveille. Je l'entends résonner dans ma tête, j'ai l'impression qu'il sonne depuis dix jours. Il faut répondre, mais je ne parviens pas à me lever. Mes yeux restent fermés, ils sont grave collés. J'essaie de me soulever et de me traîner jusqu'au téléphone. Rien à faire. Je ne tiens pas sur mes jambes et je me casse la figure. Il faut répondre. Par un effort surhumain, je réussis à prendre le combiné. Je décroche, c'est Monique, la meuf de Fabrice, un copain de Lyes. « Allô, qu'est-ce que tu fais aujourd'hui ? » Je n'arrive pas à ouvrir la bouche pour parler tellement la tête me tourne. J'ai terriblement envie de vomir.

« Ça va pas... Monique... j'ai pris des cachets !
— Pour quoi faire ?
— Pour mourir, Monique.
— Il y a personne avec toi ?
— Nooan ! »

Je n'arrive même pas à articuler tellement je suis dans les vapes. « Bouge pas, je t'envoie une ambulance et j'arrive ! » Un peu plus tard, je suis à l'hôpital Delafontaine, « en pleine forme ». En pleine crise d'hystérie, j'insulte et je frappe l'infirmière qui veut m'hospitaliser. « J'aime pas les hôpitaux, j'veux pas rester ici ! Touche-moi pas avec tes merdes ! » Le médecin me parle de tentative de suicide et de séjour en psychiatrie : ça me calme direct. J'ai peur, très peur. Je ne veux pas aller dans ce monde-là, finalement. Malgré tout, au fond de moi, j'ai une envie désespérante de vivre. Quelque chose de bien m'attend, j'en suis sûre. Mais je ne trouve pas la porte pour y accéder.

J'ai voulu faire passer un message à mes parents en avalant ces médicaments, mais j'ai raté mon coup. Ils m'ont vue dormir pendant deux jours sans s'inquiéter de rien. Ils ont signé pour mon entrée en psychiatrie dans une clinique, annexe de Ville-Évrard. Je n'ai rien à faire ici. Il y a des personnes déprimées comme moi, mais la plupart sont de vrais malades, des gens qui sont complètement destroy. Je vis un traumatisme permanent : l'état de certaines personnes est insoutenable, et encore plus insoutenable la façon dont on les traite. Nous sommes tous mélangés, témoins et spectateurs malgré nous des crises de démence de chacun. Comment évoluer dans un univers pareil ? J'ai l'impression d'être punie et incomprise, une fois de plus.

« Je n'ai rien à faire ici ! Je connais mon problème !

— Je vous écoute mademoiselle. »

Je raconte mon histoire, un peu excédée de la répéter et de ne pas me faire entendre.

« Voilà pourquoi je souffre !

— Traitement : petites pilules matin et soir. »

Le médecin ne supporte pas que ma souffrance explose. Il n'a trouvé qu'un moyen : m'endormir. La psychothérapie ici, on connaît pas. Celui-là non plus ne me comprend pas. Je ne suis qu'une pauvre victime qui balade son sac bourré d'émotions, son sac plein à craquer, qu'elle ne cesse de remplir au fur et à mesure de son destin. Putain de sac ! Je demande que l'on m'apporte mon matériel à dessin. Cela me permet de tenir, car je n'ai aucune visite. Personne n'a de temps pour moi, pas même Lyes. Je suis encore une fois seule à affronter cette nouvelle situation, seule avec mon putain de sac ! J'avale ce coup-là comme j'ai avalé le reste. Je me noie, mais je me défends de toutes mes forces contre les jugements, les regards, les étiquettes qu'on me colle : « folle », « malade des nerfs ». Ce ne sont pas mes nerfs qui sont malades, bande d'enfoirés, c'est mon cœur ! Il saigne, il souffre de votre manque d'amour, de votre incapacité à comprendre ma souffrance ! Je me défends avec l'âme de mes dix-sept ans. Au fond de moi, il y a une lumière, un tout petit point scintillant qui résiste. Il sortira un jour de ce tunnel et brillera plus encore. Malgré tout ce que je reçois dans la tronche, j'ai cet espoir.

En sortant de l'hôpital, je retourne chez mes parents. Mon père me parle enfin ! Il veut savoir si je mange. Il peut plus facilement venir vers une « folle » que vers une « violée ». Pour ma mère, je suis malade. Oh, pas de la grippe ou de la rougeole ! Je suis malade de la tête. Elle me pousse néanmoins à « oublier tout ça », à « aller de l'avant ». De l'avant de quoi ? Je continue de remplir mon sac de tous ces comportements incompréhensibles, de ces déceptions qui me déchirent, de ces silences qui m'isolent, de cette connerie que je n'ose juger.

15

Tourbillon

Enfin, ils vont partir en vacances! Ils vont oublier tout ça. Je fais comme eux : j'oublie, j'enfouis, j'endors tout ce remue-ménage grâce aux joints. Le shit est mon ami et je le consomme à l'excès. C'est lui qui me dirige, qui pense pour moi. Il est un ami pathétique qui m'entraîne dans des pensées obscures sur son lit de vapeurs et me détruit à petit feu.

C'est l'été, les grandes vacances. C'est la première fois que je ne pars pas. Cette année, j'ai tout l'appart pour moi. Mortel! Je me vois déjà avec Lyes, nous faire des soirées entre copains, lui mitonner des petits plats, bouger, aller à la mer, faire plein de trucs sympa ensemble. En réalité, rien ne se déroule ainsi! Je passe mes journées à attendre qu'il rentre. Une journée avec lui, c'est simple. Il se lève et se prépare. Quand il est prêt, et que j'ai bien râlé parce que c'est les vacances, que l'on ne fait rien et que j'ai besoin de bouger, il part pour une heure, soi-disant, pour régler une affaire. Le soir, il n'est toujours pas là, et j'ai passé ma journée à ronger mon frein, prête à lui exploser à la gueule quand il rentrera. Dès que je le vois, je l'embrouille un peu, mais j'oublie vite parce qu'il me promet tout ce que je veux. Il m'endort jusqu'à la prochaine fois. Pour avoir la paix, il a trouvé le truc : le shit. Il m'en rapporte régulièrement, ce qui fait que je l'attends maintenant toute la journée, toute seule, et que je lui fous la paix. D'autant plus qu'il me promet qu'on partira en vacances sur la côte ou en Espagne !

Comme je suis vraiment fatiguée d'attendre Lyes et de rester seule, je m'aventure dans le parc voisin et j'y retrouve de vieilles connaissances qui se sont mises, elles aussi, à fumer des spliffs. Alors on fume ensemble. Certains qui sont au courant de mon histoire veulent que j'en parle, d'autres s'en moquent. Ils sont contents de me revoir, point. J'ai changé, on ne peut plus me la faire à l'envers, ceux qui s'y essaient se prennent des coups de boule. C'est fini. On ne me mettra plus à l'amende dans cette ville où j'ai tant souffert.

Une fois, je me suis embrouillée avec un gars. Je l'ai tapé grave et je lui ai dit que j'allais chercher mon mec. Quand je suis revenue avec Lyes, il a explosé de rire et m'a dit : « Mais Sami, ça y est, tu l'as déglingué, tu lui as explosé le nez, j'n'ai plus rien à faire ! »

Je suis aveuglée par le besoin de retrouver ma dignité. Je profite des moments passés avec les autres au parc pour remettre les choses à leur place et faire ma propagande. Je veux démentir toutes les rumeurs fausses qui ont couru sur moi et balancer la vérité. J'ai besoin de leur dire que c'est moi la victime et pas mes agresseurs. En fait, les gens se foutent de mes états d'âme et de ma souffrance, ils veulent juste savoir. C'est tout.

Dans ce parc, il y a un mec qui vient souvent. Il s'appelle Dimitri. Il n'habite pas le quartier depuis longtemps et ne connaît donc pas mon histoire. Il arrive de Toulouse où il vivait chez sa tante. Il préparait un diplôme d'œnologue. Toulouse et le neuf cinq ou le neuf trois, ça n'a rien à voir ! Dimitri habite maintenant chez sa mère, dans le quartier de K., de Jaïd et des autres. Malgré l'ambiance qui règne là-bas, il arrive à se faire son opinion sur moi, sans se faire engrainer par les autres. J'aime bien Dimitri, il est tranquille, discret et on peut parler avec lui. Nous nous donnons rendez-vous au parc et passons des journées entières à discuter et à fumer. Nous devenons très vite inséparables. Un jour, je lui avoue mon histoire, car je sais que c'est dangereux pour lui de marcher avec moi. Les gars de son quartier, qui connaissent tous K., peuvent l'utiliser pour se venger, et je ne veux pas qu'il lui arrive des bricoles à cause de moi.

« Voilà, tu sais tout !

— Ouais, Sam, tu sais, ce qui s'est passé avant mon arrivée ici, ce n'est pas mon affaire. Il y a des gens qui m'ont demandé pourquoi je ne te serrais pas. Ils pensent que si tu traînes avec moi, c'est que tu cherches quelque chose. Je leur ai répondu que toute cette histoire ne me regardait pas et qu'avec moi, tu es tranquille.

— Ah ouais ! Il y a des gens qui t'ont dit de me serrer !

— Ouais ! Ça fait un moment qu'on traîne ensemble, et un tas de gens jactent sur nous. Moi, ça m'intéresse pas. Tout ce que je vois, c'est que t'es tranquille avec moi, que t'es correcte.

— Pourquoi tu m'as rien dit ?

— Ça sert à rien ! C'est des histoires tout ça, mais c'est sympa de t'inquiéter pour moi et je te remercie de ta franchise. »

Ce jour-là, notre amitié était scellée. Il n'y a plus eu aucune ambiguïté sur notre relation. Il ne me juge pas, il ne me condamne pas. Il est mon ami.

Après l'embrouille au parc, avec le mec que j'ai bien amoché, je n'ai plus envie d'y retourner. Pourtant, je peux me la raconter, car je lui ai bien pété le crâne à ce connard ! Je pourrais aller savourer son humiliation. Se faire mettre à l'amende par une meuf, qui plus est « moi », quelle honte ! Non, je préfère rester chez moi avec

Dimitri. On fume, on discute, on se fait des petites bouffes, on écoute du son, on se fait des bons délires tous les deux. C'est les vacances! Dimitri est impressionné par ma consommation de shit : je fume maintenant du matin au soir. Je préfère le shit aux médicaments qu'on me donne à l'hosto. Je ne veux pas ressembler à un zombie. Fichez-moi la paix tous, avec vos abrutisseurs pour malades mentaux, j'ai mon remède! Il me permet d'endormir et d'étouffer ma souffrance. Elle s'agrandit de jour en jour et je l'enfonce en moi de joint en joint.

Heureusement que Dimitri est là... Seule, je péterais un plomb. Lyes ne me calcule plus trop. Elle est loin l'époque où on partageait tout. Il fait sa vie avec ses copains et moi avec Dimitri. Il rentre de plus en plus tard. Je ne sais pas ce qu'il fait de ses journées ni de ses soirées. Quelque chose a changé entre nous, mais il ne parle jamais de rien, ne raconte rien, ne partage rien. Il se montre gentil quand il a besoin d'un câlin, c'est tout. Je ne me rends pas compte que c'est sa seule motivation pour rester avec moi et je m'accroche à ce semblant de tendresse qu'il me donne. Je m'accroche à cette bouée, à ce bois pourri qui flotte sur la mer, cette mer qui est mon désespoir, ma vie.

Quand il doit partir, je lui fais des crises d'hystérie, je me transforme en furie. Il me calme en me disant qu'il va faire des sous pour partir en Espagne. Lyes veut que je reste à la maison et que je l'attende pendant qu'il s'éclate. C'est tout juste s'il ne veut pas que je sois contente pour lui. Il joue avec moi, me manipule d'autant plus facilement que je suis à moitié dans les vapes et sans aucun discernement. Je n'ai pas pris tout ce que j'ai pris dans la gueule pour que quelqu'un, même Lyes, m'impose de rester chez moi. Sans que ce soit dit, un compromis s'installe : il fait sa vie, et je fais la mienne. On ne se retrouve que pour baiser ensemble.

C'est la fin de l'été. Tout le monde est de retour, ils ont passé de bonnes vacances, ils sont contents. Je reste à la maison et mon père reprend son comportement habituel. J'ai de nouveau droit à son regard exaspéré et à ses insultes. Il est vrai que je ne le calcule pas du tout. Je fais ma vie, je rentre et je sors. J'ai repris ma vie dissolue. Nina, ma copine du foyer de Charenton, ne m'a pas oubliée. Elle me propose de m'installer avec elle dans un onze mètres carrés, à Saint-Mandé. Elle me fait du bien, elle rit, elle est enthousiaste. Elle me maquille et me reprend en main niveau sape. Je me sens un peu plus belle.

Lyes vient me voir de temps en temps pour des petits câlins, mais je me méfie de lui, je garde mes distances. Un jour, il m'annonce courageusement au téléphone qu'il part pour l'Espagne avec son pote Yacine et que je ne fais pas partie du voyage. C'est un coup rude. Je le reçois comme un poignard dans le cœur. L'Espagne, c'était pour nous deux. J'avais tant rêvé de petites vacances romantiques avec lui. Ma déception est immense, mais je n'en parle pas. C'est une souffrance que je garde secrètement au fond de moi. Je reste quand même avec lui, mais quelque chose est brisé à tout jamais.

Après cette nouvelle désillusion, je décide de m'éclater. Avec Nina, j'écume toutes les boîtes où l'entrée est gratuite pour les filles. Tous les soirs, c'est la fête. On va de boîte en boîte. On ne rencontre que des gens chelous dans ces fameuses nuits parisiennes, des bizarroïdes hyper superficiels, plus ou moins pervers, des gens qui cherchent quelque chose sans savoir quoi. Moi, j'y vais pour danser, j'adore danser. Je vais me frotter aux danseurs de hip hop, je copie leurs pas et je les replace ailleurs, la classe! Je me la raconte!

Et puis, avec Nina, c'est la chasse au pigeon qui va nous payer un verre, des clopes ou l'entrée dans une boîte. Parfois, on lui choure son portefeuille, d'autres fois, j'apprends à michetonner, à gratter du fric. Ce n'est pas mon truc de leur faire la conversation, je sens trop qu'ils ont envie de mon cul et ça me dégoûte. Alors, Nina se met le plus souvent devant et moi, j'agis derrière.

Je ne raconte rien de mes frasques à Lyes, il fait sa vie, je fais la mienne, point. Le coup du « j'me casse avec mon pote en Espagne », je l'ai toujours pas avalé et je me suis juré de me venger en profitant de toutes les occasions qui se présenteraient. Un soir, l'occasion se présente : il s'appelle Mourad, c'est un mec qui habite à Montparnasse et qui fait son service militaire. Ce week-end, il est en permission. Nous sommes à La Scala, une des boîtes les plus pourries de Paris. Ça fait vingt fois que le DJ passe les mêmes enchaînements. Je m'emmerde un max. C'est pourtant mieux que de rester enfermées toutes les deux à Saint-Mandé. Je me laisse draguer par Mourad. Il se la joue Bad Boy, mais personne n'est dupe. Mourad n'est pas une caillera, c'est inscrit dans ses gestes, sa façon de parler et de se tenir. Je le revois plusieurs fois, lors de ses permissions. Un soir, une fille de la cité de Lyes nous voit et s'empresse de nous balancer. Pendant plusieurs semaines, Lyes me prend la tête pour savoir la vérité sur notre relation.

« On t'a vue en boîte avec un lascar, et tu me dis que c'est pas toi !

— C'est pas moi !

— Les yeux dans les yeux, tu me dis que c'est pas toi !

— C'est pas moi ! »

Je mens effrontément, je lui sors des tartines dégoulinantes de tromperie, des bobards incroyables. Je veux m'en sortir. Je préviens Mourad que mon mec est un nerveux et qu'il faut nier à fond s'il le cuisine. Lyes me force à appeler Mourad. Il veut voir s'il n'est vraiment qu'un copain pour moi. Ce soir-là, il y a un concert à Saint-Denis, il y a un monde fou. Quand Mourad arrive, Lyes nous rejoint et l'attire plus loin pour lui parler. Je n'entends pas ce qu'ils se disent, je vois seulement Lyes gesticuler de façon énervée. Mourad ne bronche pas. Ça doit mettre Lyes à l'envers que l'autre ne bronche pas. Il doit se dire : « Comment elle a pu sortir avec un pédé pareil ? »

Un copain de Lyes, puis deux puis quatre s'approchent pour mettre leur grain de sel. Ça fait bientôt un attroupement qui parlemente et commente abondamment.

« Vas-y ! Tu vas pas le taper pour une gonzesse !

— Tema ! Il chie déjà dans son ben ! »

Lyes, qui voulait régler discrètement l'affaire, a les boules que ses potes soient présents. Alors pour sauver son honneur, il décolle à Mourad une baffe retentissante. C'est une baffe cinglante, hyper humiliante pour Mourad qui ne bronche toujours pas. « Casse-toi de là, maintenant ! » Voilà, mon occasion d'un soir est partie, la joue écarlate et les yeux brûlants de rage.

Quelques jours plus tard, Lyes passe me voir et l'on se réconcilie malgré le doute qui persiste encore un peu chez lui. La vie continue. Il fait sa vie, je fais la mienne. Chaque fois que Lyes me grille, je nie résolument et nous restons ensemble. Je reprends mes habitudes, je tripe, je pécho des mecs à droite et à gauche. Je me dis que peut-être l'un d'eux me fera oublier mes déceptions avec Lyes, qu'il me donnera plus d'attention, plus d'amour. Mais ce n'est sûrement pas dans le monde de la nuit que je vais trouver ce que je cherche. Je me laisse prendre dans l'engrenage, j'enchaîne, je ne me pose pas de questions. Je ne pense qu'à m'éclater et à me défoncer, c'est tout.

Une fois, je disparais pendant plusieurs jours sans prévenir personne, même Nina ignore où je me trouve. Lyes me cherche partout. Il fait les boîtes, les hôpitaux, les commissariats, sans résultat. Alors que cela fait deux ou trois jours qu'il me cherche, il trouve dans un magazine une photo de moi, une coupe de champagne à la main. Je suis en train de m'éclater dans une boîte parisienne. « Mais, c'est Sami! Cette tête de chienne! Ça fait deux jours que je la cherche et je tombe sur sa face qui s'éclate! Elle va me rendre ouf, cette meuf! » Quand je rentre, il m'assomme de questions :

« T'étais où? Avec qui? Pourquoi? Comment?

— J'étais avec des copines que je connais depuis longtemps, elles squattaient l'appart d'un mec dans le seize! C'est tout! »

Je culpabilise malgré les bobards que je lui fais avaler, parce qu'il s'est pris la tête pour me retrouver.

« Non mais tu te rends compte ? Je te cherche partout et, par hasard, je tombe sur ta tronche dans un magazine ! En plus, tu t'éclates ! C'est pas fort, ça ? Quand je pense que tu me dis toujours que tu t'emmerdes, ça a pas l'air ! »

J'ai envie de lui hurler : « C'est toi qui as commencé ! » Mais je ne dis rien. Cette phrase cogne dans ma tête, mais les cris de protestation restent au fond de moi. Au contraire, je lui ressers une tournée de tartines dégoulinantes de mensonges, de bobards, tout un tas de salades. Je maintiens ma position : ne rien dire sur ce que je fais, ni sur les gens avec lesquels je suis. « Puisque tu ne veux rien partager avec moi, je ne te raconterai rien et je partagerai avec d'autres les sorties, les boîtes, les cinés. Pourquoi tu profiterais derrière mon dos et pas moi ? » Œil pour œil, vice pour vice ! Voilà ce qu'est devenue notre relation.

À partir de ce moment-là, ça n'a déjà plus de sens. Je ne lui pardonne pas de m'avoir abandonnée à l'hôpital et tout l'été, quand j'avais tellement besoin de lui. Je ne lui dis rien, j'encaisse. Je ne suis pas heureuse, mais je m'accroche tout de même à ce bois mort. Pourtant, rien de ce que je reçois de Lyes ne me console, ne me réchauffe, ne me permet de grandir ou de m'embellir. Je ne reçois que de l'indifférence et un délaissement si total qu'il me pousse à réagir en salope. La suspicion s'est installée entre nous. Nous menons une sorte de bataille mentale dont les armes sont le vice, le mensonge et la violence verbale.

Ma vie est totalement dissoute, je vis sans barrières, sans tuteur. Je me soûle de danse, d'alcools, de mecs d'un soir, pour combler mon manque d'amour. C'est le tourbillon dans ma tête. Je ne sais plus quel jour nous sommes, quel mois, ni même quelle année. J'ai oublié mon âge, je vis à l'instinct. Ces mois en boîte m'épuisent. Les embrouilles avec Nina s'amplifient, les galères pour manger aussi, et nous ne payons plus le loyer depuis longtemps. Notre relation s'use, je suis à fleur de peau et elle ne supporte plus ma violence et mon impulsivité. Elle s'éloigne de moi. Cela m'attriste, mais je n'y peux rien.

Je supporte mal mes petits jeux du soir. Dans les boîtes de nuit, j'ai l'impression de me donner en pâture, de me jeter volontairement sur des barbelés électrifiés. Les mecs me regardent. « T'es bonne ou pas ? » Toutes ces bouffonneries pour arriver à te baiser ! Pourtant je joue le jeu, je me plie à cette mascarade malgré tout le dégoût que j'en ai. Je ne me sens pas à ma place, une fois encore. Je me sens étouffée, asphyxiée, prise au piège dans un monde que je n'aime pas, sans issue pour en sortir. Je me sens comme un oiseau blessé qui cherche désespérément un endroit pour se poser.

16

Saint-Denis

Je me persuade de rentrer chez mes parents définitivement. Quoi qu'ils disent, je resterai. Mon père s'énerve dans son coin, en me voyant installée de nouveau. Il me jette des yeux haineux et m'insulte : « Espèce de merde ! », ou bien, il se contente de souffler très fort comme un taureau. C'est signe d'un très grand énervement et ça me terrorise. De toute façon, il ne me parle pas. Il ne peut plus avoir d'alliés contre moi, il est beaucoup plus seul maintenant. La situation a changé. Mes sœurs ont grandi et ma mère s'est transformée, physiquement et moralement. Elle s'est émancipée depuis qu'elle a travaillé dans une boutique à Saint-Germain-des-Prés. Ses copines de boulot l'ont aidée à s'épanouir. Elle est beaucoup plus classe et elle n'a plus le même regard sur la vie. Du coup, cela change l'atmosphère de la maison. Elle a réussi à protéger mes sœurs de la violence de mon père : « Tu ne feras pas avec les deux dernières ce que tu as fait à Samira ! »

Sur ce plan-là, mon père s'est calmé et mes sœurs ont une meilleure image de lui. Elles l'approchent plus facilement, surtout la plus jeune. Celle-ci, c'est son joyau. Avec elle, il est attentif, affectueux, dévoué. Est-ce possible que cet homme-là soit le même que celui qui me méprise, m'insulte, me néglige et me bat ? C'est vrai que moi, je suis la mauvaise graine. Du haut de ses quelques dizaines de centimètres, ma petite sœur est la seule à pouvoir maîtriser mon père. Quand elle sent que sa hargne va tomber sur moi, elle vient se coller à moi et ne me lâche pas. J'entends la respiration exaspérée de mon père qui ne peut plus rien me faire. Ma petite sœur est ma meilleure protection à la maison.

Mes parents déménagent. Ils ont été obligés de vendre l'appartement de Pierrefitte. La pression des menaces de la clique devenait invivable pour nous tous. Maintenant, ils habitent à Saint-Denis, et moi aussi bien sûr. Je me rapproche de Lyes, mais qu'est-ce que ça change ? Entre nous, la situation est toujours la même. Je l'embrouille parce qu'on ne fait rien ensemble et lui continue à m'endormir avec ses promesses. Mais maintenant, il n'y a plus le moindre respect entre nous.

« Tu vas où ? Tu vas faire la pute ?

— Va te faire enculer ! »

Un exemple de notre quotidien...

Le fait de ne plus habiter à Pierrefitte ne me guérit pas, bien sûr, mais l'ambiance ici est différente et ça me fait du bien. J'ai moins peur de sortir, moins peur des représailles. J'essaie de me refaire une vie dans cette ville. J'ai pris mes habitudes dans un quartier près de la gare, où j'ai de la famille. Je passe mes journées dans cette cité, avec un de mes cousins et ses potes. Je préfère rester là à ne rien faire, à bédaver et à chambrer, qu'être coincée entre un père qui fait toujours la tronche et une mère qui continue de faire comme si de rien n'était. Je peux me permettre de « traîner » dans ce quartier car je suis protégée par mon cousin. Parce que ici comme ailleurs, une meuf n'a rien à faire en bas. Grâce au cousin, je peux imposer ma « racaille attitude » dans le quartier !

Un soir, je bénis sa protection. Nous allons en boîte à La Défense. Dans le RER, nous rigolons entre nous. Soudain, je sens un regard insistant sur moi. Je tourne la tête : c'est un pote de K. En montant dans le train, j'avais pourtant fait ma petite inspection habituelle, mes yeux transformés en radar avec une rotation de trois cent soixante degrés. Celui-ci, je le connais de vue. Une armoire à glace, comme K. Il ne me lâche pas du regard, sans même ciller. J'ai peur. Je préviens mon cousin discrètement. « Ne le calcule pas, tu es avec nous, il ne te touchera pas ! »

Arrivés à Gare-du-Nord, nous nous levons tous pour descendre. Quand je passe à côté de lui, il me tire subitement par le bras et m'ordonne tout bas de rester avec lui. Je suis abasourdie par ce culot auquel je ne m'attendais pas. Je me pétrifie sur place. Mon cousin me cherche des yeux. En se retournant, il nous voit. Moi complètement figée et l'autre m'agrippant le bras.

« Qu'est-ce que tu fais ? Elle est avec nous !

— J'la connais, t'inquiète, cousin !

— Et alors, moi aussi, j'la connais.

— T'inquiète, cousin, elle reste avec moi, on va passer la soirée ensemble ! »

Je reste sans voix. Il me serre de plus en plus fort pendant que mon cousin me tire par l'autre bras. Chacun me tire de son côté comme si j'étais une poupée de chiffon.

« J'crois qu't'as pas compris, elle va nulle part ! »

C'est Momo, le pote de mon cousin, qui parle. Il est adorable, mais un peu barjot, parfois. Ils commencent à en venir aux mains. Le type comprend vite qu'il ne fera pas le poids. Il abandonne, mais ne s'avoue pas vaincu pour autant : « Une autre fois, peut-être ! » me disent ses yeux méchants. Je me sens honteuse de causer tous ces ennuis. Ils doivent penser que je suis une meuf à embrouilles. Quand ce passé cessera-t-il donc de me poursuivre ? Comme d'habitude, je fais ma rigolote, ma petite caillera, histoire de masquer ma gêne et l'énorme peur que j'ai eue.

Je me croyais protégée par mon cousin, mais j'ai bien failli y passer encore une fois. Je me rends compte qu'ils peuvent me tomber dessus à n'importe quel moment. Qui peut se battre contre leur mentalité ? C'est du vent dans la tête, une mentalité ! On ne peut pas lui mettre des droites dans la gueule ! Personne ne peut m'en protéger et elle me poursuit. Je suis condamnée à vivre dans un stress quotidien, perpétuellement aux abois. La peur est devenue ma manière de fonctionner, ma manière de respirer. Décidément, chaque fois que j'essaie de vivre un peu, il y a toujours un connard pour me rappeler d'où je viens.

Je range cette histoire dans mon sac à chocs, avec mes autres histoires dures et avec ma peur, ma haine, ma culpabilité, ma honte et mon impuissance. Tout cela grouille et s'entremêle comme des serpents et forme un bloc de nœuds. Sinon, je me sens bien dans ce quartier. Ils ont compris que je viens juste fumer et rigoler avec eux. On pratique la chambrette, sport national des cités. C'est un exercice délicat qui nécessite cran et imagination. C'est du spectacle ! Il m'arrive de pleurer de rire ou de pleurer tout court parfois, quand ça chambre trop. Certains ont la dent dure et la chambrette fracassante. Ce sont mes moments d'évasion. Je ris en m'assommant de joints. J'oublie tout. Je rentre très tard chez moi pour éviter de rencontrer mes parents. Chaque jour, à mon réveil, j'entends :

« Allez, lève-toi ! Tu vas pas dormir toute la journée. Allez, bouge-toi un peu ! Puisque tu es revenue, il faut chercher un travail, une formation. Faire quelque chose ! Tu vas pas rester toute la journée à rien foutre !

— Casse-toi, fous-moi la paix ! »

Ça, c'est la version courte ! Mais moi, j'ai droit tous les matins à la version super longue durée !

Ma mère ne comprend pas que je ne veux rien d'elle, que je vis tout ce qu'elle me dit comme des agressions. Je ne veux même pas le son de sa voix dans ma tête. Quand elle rentre en moi, c'est comme si elle arrachait tous les beaux papiers peints mis en place pour cacher les fissures. En croyant m'aider, ma mère me détruit. « Fais comme si rien ne s'était passé ! Il faut avancer ! » J'aurais juste besoin qu'elle prenne en considération ma souffrance.

Je n'ai pas envie de parler à mes parents. C'est trop tard. Leur parler, c'est leur pardonner. Je joue juste un peu le jeu pour le toit et le matelas. Je déguise ma peine en violence. Tout mon être est postiche. Je suis la contradiction personnifiée.

17

Mon « procès »...

21 février 1991.

« Sami ! Téléphone pour toi !

— C'est qui ? »

Ma mère baisse les yeux et me passe le combiné sans répondre. Bizarre...

« Allô ?

— Allô Samira ! Je suis le juge d'instruction qui a instruit ton affaire au tribunal de Pontoise. Tu te souviens ? »

Bien sûr que je m'en souviens, ça fait des mois que j'attends de ses nouvelles !

« Oui, je me souviens de vous.

— Je t'appelle car le procès s'est déroulé et j'aurais voulu savoir pourquoi tu ne t'es pas présentée.

— ... »

J'ai le souffle coupé et je reste muette. Je mesure immédiatement les conséquences de ce qui vient de se passer. Pas de justice pour moi. Je fermerai ma gueule à tout jamais. Mon dernier

190

espoir vient de s'écrouler. Une violente chaleur m'envahit. Ma tête bourdonne et une immense envie de tout casser s'empare de moi. Malheureusement, je sais que cela ne servira à rien. Je suis complètement anéantie. C'est comme si j'étais face au peloton d'exécution, déjà agonisante des coups de couteau dont on m'a transpercé le corps et qu'on me tire une balle dans le cœur pour en finir une fois pour toutes.

« Mais, je n'étais pas au courant que le procès avait eu lieu!

— Tu n'as pas reçu la convocation?

— Non.

— Ton avocate ne t'a pas prévenue?

— Non. Plusieurs fois ma mère a essayé de la joindre et elle disait toujours : " L'affaire suit son cours. " Est-ce que je peux faire appel? Expliquer qu'on ne m'a pas dit que le procès avait lieu?

— Non, il n'y a que le prévenu qui ait ce droit-là. »

J'ai la rage. C'est trop fort! Si je comprends bien, je n'ai pas d'autres droits que celui d'encaisser et de fermer ma gueule!

« Ils ont pris combien?

— Tu sais, je n'ai pas le droit de faire ce que je fais... J'étais étonné de savoir que tu n'étais pas à l'audience. C'est un collègue qui a jugé l'affaire. Je suis surpris car à l'époque tu semblais résolue à venir témoigner.

— Je l'étais et je le suis encore! Pouvez-vous me dire combien ils ont pris?»

Il comprend sans doute l'impact de l'erreur qui a été commise et il me dit ce que je veux savoir. Il est gentil, ce juge. «Le procès a été jugé le 21 février 1991, à la cour d'assises des mineurs de Pontoise. K. a été condamné à huit ans de réclusion, et les frères M. à trois ans dont dix-huit mois avec sursis. Je suis sûr que si tu avais été là, ils auraient pris davantage. C'est certain! Je ne comprends pas ce qui a pu se passer.» Moi non plus, je ne comprends pas. Mais ce qui me paraît absolument invraisemblable, c'est l'attitude de mon avocate. Ne pas m'avoir prévenue de la date du procès me paraît être une faute professionnelle et humaine monstrueuse.

«Elles sont venues, Clarisse et Pauline?

— Oui, elles étaient là. D'ailleurs, il y en avait d'autres, une dizaine, je crois. Tu connais Claire, Latifa, Laetitia, Lara, Julie...?»

Il me sort une dizaine de prénoms. K. n'a pris que huit ans pour autant de prénoms! À quoi sert de me révolter? Les dés sont jetés.

«Non, je ne les connais pas.

— Qu'est-ce que tu fais maintenant, tu poursuis toujours tes études? me demande-t-il, histoire de dévier la conversation.

— Non, je ne fais rien.

— Tu habites toujours à Pierrefitte?

— Non, j'habite Saint-Denis, maintenant. C'est normal qu'elle ne m'ait pas appelée, l'avocate ?

— Écoute, appelle-la pour savoir ce qui s'est passé, d'accord ? Je dois te laisser, maintenant, au revoir ! Et... bonne chance !

— Merci, monsieur le juge ! »

Vite ! Un joint ! Un putain de gros pétard qui atténuera la violence du choc que je viens de recevoir ! Vite, vite, il faut que j'enfouisse tout ! Penser à ce qui vient de se passer ? Surtout pas. Me contrôler, oui, me contrôler, c'est la seule chose à faire. Refouler mes cris, mes larmes. Refouler cette boule qui a envie de sortir comme une fusée de ma bouche. Enfouir cette énorme impuissance, cette haine. Me défoncer pour anéantir la rage qui me submerge.

J'étais une ruine avant ce coup de téléphone. Maintenant, je suis un désert apocalyptique, où seule mon âme se balade, cette âme que je protège en l'enveloppant de fumées blanches. Encore une fois, mon ami le Pétard m'emmène sur son lit de vapeurs, dans l'immensité de mon désert et de mon incommensurable chagrin.

Deux jours plus tard, ma mère reçoit la convocation pour le procès par la gendarmerie de Saint-Denis... Comme nous avons déménagé, la gendarmerie de Pierrefitte a dû effectuer des recherches pour nous retrouver. Bon, un problème de courrier, ça peut arriver ! Mais comment se fait-il que mon avocate, qui défend les victimes de viols, ne m'ait pas contactée, ni avant ni après le procès ?

J'ai envie de l'appeler, mais j'ai peur de mes réactions. J'ai peur de ne pas savoir me contenir, de crier et de l'insulter, cette pute ! J'ai tellement la haine que je vais me conduire comme une sauvage. Je ne saurai pas assez me maîtriser pour ne pas lui dire un truc qui la fracasse, qui lui pète le cœur comme elle a pété le mien. D'avance, je préfère lâcher l'affaire. Je suis trop anéantie pour faire quoi que ce soit de valable. Me battre contre la justice... On connaît la chanson : « La justice, tous des fils... » Me battre, pour quoi faire ? Pour qui ? Pour moi ? Depuis quelques minutes, je n'existe plus. Je n'ai pas le courage de remuer ces montagnes : l'avocate, le juge, l'association, etc.

Je ne veux plus entendre parler de rien, ni de personne. Je veux rester dans ma peine, me défoncer et oublier. Je pourrais me flinguer, mais cela signifierait qu'ils ont gagné. Et ça je ne le veux à aucun prix. Je désespère que justice soit jamais faite, ni ici ni en Algérie.

Ni l'avocate, ni l'association ne rappellent ma mère lorsqu'elle leur téléphone. Qu'à cela ne tienne, ma mère a des dons d'enquêteur. Elle glane par-ci, par-là des informations. Tout d'abord, j'apprends que le jour du procès, ce n'est pas l'avocate qui s'est présentée mais un jeune stagiaire de son cabinet. Madame était aux sports d'hiver ! Le stagiaire n'a rien compris à l'affaire, car elle lui a remis un dossier vide le jour du procès. Il en était tout surpris : un viol en réunion, qui passe aux assises, ce n'est pourtant pas rien ! J'ai appris aussi que pendant le réquisitoire, le procureur a demandé une peine de douze ans pour K., car il était l'instigateur. Il n'en a pris que huit, c'est bien trop peu quand on déduit la préventive et les remises de peine. Les frères M. ont fait de la préventive et ont bénéficié de sursis, car ils avaient un travail. Jaïd a aussi été condamné à six ans de réclusion pour viols en réunion, avec d'autres personnes dont K. Je n'arrive pas à comprendre que les violeurs et les pédophiles en prennent moins que les braqueurs de banque. Ce serait donc moins grave de braquer des humains que des banques ?

Savez-vous qu'après cette affaire, moi qui suis la victime, j'ai pris quatorze ans dans la tronche, quatorze ans à essayer de comprendre et de m'en sortir, quatorze ans pour me reconstruire ? J'ai bataillé quatorze ans sans répit.

L'avocate ne m'envoie même pas la grosse du jugement et je suis donc obligée de la réclamer au tribunal. Je reçois ce bout de papier froid, seule trace de mon « procès ». C'est la touche finale de ma mise à mort. Je bloque sur cette phrase : « K. est condamné à payer un franc symbolique de dommages et intérêts à l'association Truc-muche... » Ma vie ne vaudrait-elle qu'un franc ? J'ai été privée de procès et ma seule consolation est donc ce franc symbolique, que l'association demande à ces fumiers. Car, en fait, l'avocate représente l'association et non la victime, ce qui n'a rien à voir. Elle défend les intérêts de l'association, pas les miens. Le stagiaire a parlé au nom de l'association, pas en mon nom. D'ailleurs, mon nom n'apparaît nulle part sur l'arrêt civil. Seuls les noms de l'association, du stagiaire et de mes agresseurs sont cités. Je n'existe pas.

Mon procès aura été une suite de petites infos, prises par-ci, prises par-là, de source indirecte. Une suite de petites déceptions qui m'ont brisée, pulvérisée. Sans le coup de fil du juge, j'aurais sûrement appris la nouvelle dans la rue, je me la serais prise en pleine figure.

J'en veux beaucoup à cette avocate pour ce qu'elle m'a fait. Je me repasse souvent le film de notre première rencontre. Je suis assez intuitive. J'ai très vite senti à qui j'avais affaire et je l'ai détestée d'emblée. L'a-t-elle perçu et s'est-elle vengée ? Je n'ose pas l'imaginer. Une telle attitude serait indigne d'une professionnelle, d'une association d'aide à l'enfance. Pendant des mois, j'ai attendu d'elle une lettre d'explication. Pendant des mois, j'ai espéré qu'elle changerait par son intervention mon regard sur la justice. J'étais pleine d'illusions. Je n'ai été pour elle qu'un dossier « affreux » transmis par son association.

Ma mère, à force d'insister, est parvenue à joindre cette avocate. Elle a d'abord voulu se défiler, puis a bien précisé qu'elle ne me représentait pas, qu'elle représentait la partie civile de l'association. Ensuite, elle a ajouté que si nous avions pensé à une petite commission, les choses auraient pu être différentes. Ma mère a explosé et j'ai définitivement cessé de croire en la justice.

Mon sac à coups durs a soudain pris cent kilos. Je garde en moi ma peine et ma haine, pas un mot ne sort de ma bouche. De toute manière, je suis incapable de formuler quoi que ce soit dans un langage clair. Je ne peux que rendre les décharges que j'ai encaissées.

J'ai dix-huit balais, maintenant. À dix-huit ans, on devrait être insouciante et gaie. On devrait croquer la vie à pleines dents. Moi, je suis lourde de peine, fatiguée d'avoir vécu trop de choses, lasse de la vie. Je n'existe pas. Je respire, c'est tout. En lisant *Marie-Claire*, un après-midi, je tombe sur un article qui parle de viols et d'incestes. J'arrache la page où se trouve l'adresse d'un centre de psychothérapie familiale. Peut-être ma mère acceptera-t-elle de participer à l'expérience. Mon père, ce n'est bien sûr pas envisageable. Ma mère prend rendez-vous et nous y allons toutes les deux. C'est aux Buttes-Chaumont, dans un pavillon tranquille et discret. Le décor est sympa, à la fois minimaliste et très doux. J'aime le style de la psy. Elle a un côté starlette des années 60, avec ses lunettes papillon. Elle me met à l'aise, me pose des questions diverses. J'aime qu'elle appelle un chat, un chat. Elle a l'air d'être au courant de ce qui se passe dans les cités et des viols en réunion. Tout cela me convainc d'essayer de lui faire confiance. J'espère de nouveau. Elle a reçu ma mère en aparté. Je ne sais pas ce qu'elles se sont dit. En sortant de la consultation, je suis contente. Un petit brin d'enthousiasme, un soupçon d'espoir se rallument en moi. J'ai peut-être trouvé une solution à mes problèmes.

« Alors, qu'est-ce que tu en penses ?

— Elle a l'air bien.

— Ouais, je suis contente, parce qu'elle me comprend. Elle voudrait que je vienne une fois par semaine pour commencer. Qu'est-ce que tu en penses ?

— Tu sais, Samy... »

D'accord, je vois ! Quand elle prend ce ton-là, je sais ce que cela veut dire.

« Attends, écoute-moi, c'est trois cents francs la consultation. C'est pas remboursé par la Sécu et elle ne prend pas la mutuelle. »

Mais qu'est-ce qu'elle me parle de Sécu, de mutuelle !

198

« Mais on a de l'argent !

— Et, alors ? C'est pas une raison ! »

Je ne l'écoute plus, je ne l'entends plus. Je la laisse brailler.

« C'est toujours pareil avec toi, dès qu'on te dit non, tu fais la gueule ! Tu boudes comme une gamine ! »

Allez, cause toujours ! Je ne t'écoute plus, je ne t'entends plus !

Je suis meurtrie par la réaction de ma mère. Je ne vaux donc rien à ses yeux. Je ne mérite pas qu'on investisse pour moi. J'avais oublié, ma mère ne lâche pas ses tunes aussi facilement. Pourtant, je sais que si l'argent a manqué à certaines époques, ce n'est plus le cas. Nous ne sommes pas millionnaires, mais nous pouvons vivre correctement.

18

L'embrouille

Comment oublier tout cela? Il faut que je bouge. Je vais chercher du travail. Pas question d'être caissière à Carrefour ou femme de ménage. Je veux exercer une activité qui soit gratifiante pour moi, dans un milieu agréable. Je ne veux pas passer mes journées avec des têtes d'énervés, des gens stressés du matin au soir. Un travail utilisant les langues étrangères me plairait. Je suis bonne en anglais et je parle encore couramment le flamand. Quelque chose d'artistique ou d'artisanal me conviendrait bien aussi : arts plastiques, théâtre...

Je vais à la mission locale et je cible toutes les annonces qui m'intéressent. Cette année-là, j'enchaîne une série de formations. Initiation aux arts du théâtre, à l'audiovisuel, au dessin. « Préqualifiant aux arts plastiques », « qualifiant machinchose », etc.

Lors d'un stage, je rencontre Térésa. Elle est maman d'une petite fille de cinq ans · Emma.

Térésa me bouleverse car elle est la première à me regarder comme une artiste. Elle me trouve du talent et aime ma façon d'harmoniser les couleurs. Derrière la racaille, elle a vu la personne sensible, elle a entrevu l'artiste. Cela me touche et me réconcilie un peu avec moi-même.

Quelques mois après, je commence une formation en langues : « perfectionnement en anglais ». Je voudrais faire un métier qui me permette de voyager. Les métiers artistiques, c'est sympa, mais c'est la galère pour trouver du boulot ! Pour que ma formation soit complète, je fais un stage de réceptionniste d'hôtel. Adieu baskets et jeans. Bonjour le tailleur et les talons ! Ça ne dure pas bien longtemps. Je me sens déguisée, je m'ennuie et ne tiens pas plus d'un mois !

J'ai vingt ans et je merde. J'essaye de donner le change, de faire comme tout le monde, de me fondre dans la masse. Je n'y parviens pas. On m'a dit d'avancer, j'avance. J'avance dans cette jungle qu'est la vie. J'avance sans savoir pourquoi, j'avance sans but et sans envie. Je fais des petits boulots : je vends du prêt-à-porter, des sandwichs-merguez aux puces de Clignancourt. Je fournis un énorme effort pour entrer dans cette mascarade. Je joue des rôles, mais je ne suis pas moi. Je mets le paquet pour m'intéresser à ce que je fais, mais mon mal-être revient toujours au galop. C'est un grand cercle vicieux qui m'emprisonne et dans lequel je me cogne sans cesse. Je varie les boulots, les fréquentations, mais mon état intérieur ne varie pas. Ma boule est toujours là, à m'étouffer, et les serpents qui grouillent dans mon sac à malheurs aussi. Je ne parviens pas à me stabiliser ni à me concentrer sur mon travail. Mon relationnel est exécrable. J'envoie chier tous ceux qui ne me plaisent pas. Je fais ma loi, j'édicte mes règles pour mieux me protéger. Je n'entends rien à ce qu'on me dit, je n'ai ni conscience professionnelle ni compétences. Je travaille pour m'acheter du shit, c'est tout.

À vingt et un ans, je trouve une place de secrétaire par des relations. J'ai des revenus réguliers pendant un an, ce qui me permet de prendre un appartement. C'est un joli deux-pièces, dans un immeuble ancien comme je les aime, à Saint-Denis. Ma vie chez mes parents était devenue insupportable. On me radotait toujours les mêmes choses : « Tu n'avais qu'à pas traîner ! », « C'est du passé tout ça ! » Plus ma mère me piquait avec ses remarques, plus j'étais violente. J'insultais, je cassais, je me transformais en monstre et je lui faisais peur. C'était le seul moyen que j'avais trouvé pour qu'elle me foute la paix.

Un matin, après une énième crise, elle se résout à me chercher un appartement. Elle m'emmène dans une agence immobilière où travaille une de ses copines. Je visite l'appart le matin, l'après-midi j'ai les clefs. Quel bonheur d'avoir enfin mon « chez-moi », quatre murs pour faire ce que je veux. J'ai eu tellement de « chez les autres », je jubile et me fais des films !

Lyes emménage avec moi. Malgré les coups bas, j'espère encore en cette relation. Je me dis qu'habiter ensemble peut améliorer les choses. J'ai vingt et un ans et lui vingt-deux. Nous sommes ensemble depuis cinq ans et j'ai l'impression que ça fait une vie. Je m'aperçois vite que vivre ensemble, pour lui, ne signifie rien. Il est toute la journée avec ses potes et ne rentre que pour se coucher. Je découvre la philosophie de Lyes et de ses copains. En fait, dans son quartier, on ne sort pas avec sa meuf. On sort en boîte avec des « salopes », des meufs qu'on ne respecte pas. « J'suis un pédé si je sors avec ma meuf ! » Voilà ce que j'entends. Sous prétexte d'être « super respectée », je me retrouve seule à la maison pendant que monsieur s'éclate. Je me tape les courses, le linge, le loyer. Je ne le retiens même pas avec des petits dîners. La vie de Lyes, c'est dehors.

Je me suis calmée pourtant, plus de sorties, plus rien. Je ne lui demande plus de comptes. Je suis sûre qu'il me trompe, bien que je ne l'aie jamais surpris. Lorsque j'essaie de discuter avec lui de ma frustration et de mes soupçons, il détourne la conversation ou me reproche Mourad et les autres. Il me harcèle, m'insulte, joue avec ma culpabilité. Bref, il retourne complètement la situation. C'est un manipulateur et un malin. Et moi, j'achète, comme une gougoune. Qui plus est, je crois que je dois obtenir son pardon ! Je lui demande de me quitter ou de me pardonner. Il part mais revient toujours, pourquoi ? Il me dit que sa présence est un pardon. Sans commentaire !

Un jour, j'apprends que Lyes va passer des soirées à fumer et picoler avec ses potes, dans un appart qui appartient à des meufs, dont deux que je connais. Je m'y pointe et je me tape l'incruste. Parmi les meufs, il y a Monique, celle qui m'a sauvé la vie quand j'avais pris des cachets. Après s'être perdues de vue, on se re-fréquente lors de ces soirées. L'ambiance est malsaine. Lyes est mal à l'aise en ma présence. Je fais l'imbécile, comme si je ne voyais pas ce qui se trame. Rien ne se dit, tout est dans les regards : je soupçonne deux des nanas de vouloir se faire Lyes, ou de se l'être déjà fait. Comme je gêne, elles ont trouvé un stratagème pour s'amuser avec moi et me faire du mal.

« Allô, Samira ? Ça va, c'est Monique !

— Ouais, tranquille et toi ?

— Ça va, je suis un peu fatiguée avec les cours.

— Alors, qu'est-ce qui se passe ?

— Rien, je voulais prendre des nouvelles, et puis, je voulais parler d'un truc.

— Ah ouais, vas-y !

— T'as vu, y a un bruit qui court sur Saint-Denis. Il paraît que K. est sorti et qu'il en a après toi ! »

Monique est au courant, car après l'épisode de l'hôpital, je m'étais confiée à elle. Ce qu'elle vient de me dire me terrifie.

« Ah, bon ? Qui t'a dit ça ?

— Je peux pas te le dire, j'ai promis de me taire.

— Bon, écoute, tu as commencé, tu termines !

— OK, je te raconte, mais j'te dis pas qui c'est !

— Vas-y !

— Eh bien, une meuf qui est au courant de l'affaire m'a raconté que des gens ont vu K., à Gare-du-Nord et qu'il cherche après toi, pour te massacrer ! Il y en a aussi qui disent que c'est bien fait pour toi, que tu l'as bien cherché et que tout t'est passé dessus sauf le RER !

— Ah ouais ! Ramène-moi cette pute qui t'a parlé !

— C'est chaud, il faut que tu fasses attention. Qu'est-ce que tu vas faire ?

— Je vais d'abord enculer cette pute qui parle, ensuite, je connais quelqu'un qui pourra me renseigner et me dire si K. est vraiment sorti. »

Je suis tellement embourbée dans mon cauchemar que je saute les deux pieds joints dans son
coup de vice minable. J'y crois à son histoire ! Elle
y a mis tous les ingrédients. Du suspense, du mystère et de quoi alimenter sérieusement ma peur.
Elle joue avec mes nerfs. Elle me fait le coup de
« l'invité mystère » : elle ne veut pas me donner
les noms des gens qui ont parlé.

« Tu les connais pas.

— C'est pas grave, eux non plus ne me
connaissent pas. Pourtant, ça ne les empêche pas
de parler sur moi.

— Fais gaffe, c'est pour toi que je dis ça ! Je
suis ton amie », me dit-elle cette pouffiasse.

Cette garce me fait courir elle me balade
ainsi pendant plusieurs jours. Elle me monte une
espèce de méli-mélo impossible à démêler. À
force de questions, Monique finit par cracher le
morceau et me donne l'adresse d'une des filles qui
parlent sur moi. Je leur donne rendez-vous au
barrage de Saint-Denis, pour qu'on s'explique.

Quelque chose dans ma petite tête me dit de ne
pas venir seule. Deux copines et un pote m'accompagnent, au cas où ça dégénérerait. Ce soir-là,
bien sûr, personne. J'attends. Comme je trouve le
temps long, je décide d'aller directement sonner
chez une des filles qui parlent. Ça fait deux mois
qu'on me casse les couilles à me faire peur, à me
trimballer de racontar en racontar. Ce soir, je suis

décidée à régler cette histoire et à faire cracher ceux qui ont la langue trop pendue. La fille chez qui je sonne me fait tout un cinéma. Elle me dit être en embrouille avec son mec. Cela fait trois mois qu'il l'a virée de chez lui et, comme par hasard ce soir-là, elle veut aller récupérer ses fringues, ses rideaux et ses torchons. Ça sent la feinte à plein nez, c'est inscrit dans son regard fuyant.

« J'suis en embrouille avec Vidad, il est en train de tout jeter par la fenêtre, je dois y aller ! »

C'est du gros tralala ce qu'elle me raconte là.

« Ah ouais, on va venir avec toi, au cas où il y aurait embrouille ! Et on règle l'histoire après ! Parce que, j'bouge pas ! Tant que j'ai pas réglé l'affaire, j'bouge pas ! »

Là, elle a deux de tension. Elle est dégoûtée, elle pensait se débarrasser de moi avec ses histoires à deux balles. On se dirige tous chez son lascar qui habite à cent mètres. Il se trouve que c'est le frère de Monique. Comme le monde est petit !

En arrivant en bas de l'immeuble, je constate que tout est calme, que rien n'a été jeté par la fenêtre. Elle sonne à l'interphone pour monter. Nous attendons en bas en fumant un petit pétard et en discutant tranquille. Au bout d'un petit quart d'heure, j'entends des appels au secours par l'interphone et je reconnais la voix de cette pute

Je monte avec mon pote pour voir ce qui se passe et éventuellement lui venir en aide.

En arrivant dans l'appartement, j'ai récupéré un marteau par terre et l'ai caché derrière mon dos. C'est que je n'ai pas la moindre confiance en cette pouffiasse. Quand j'arrive dans la salle de séjour, le spectacle qui s'offre à moi est carrément surréaliste, un vrai vaudeville version neuf trois! Il y a la nouvelle meuf du frère de Monique qui hurle, cachée sous la table. Le frère de Monique qui tape sur son « ex », la méchante pute qui parle trop. Celle-ci agrippe ses torchons en gueulant « Au secours! » et son frère, qui sort d'on ne sait où, essaie très mollement de séparer les deux « ex ». Une vraie maison de ouf! J'éclaterais bien de rire, mais ce n'est pas exactement le moment.

J'ai bien l'impression que c'est une mise en scène, car tout cela manque terriblement de conviction. Elle en fait des choses, cette nana, pour éviter une explication! J'interviens tout de même, on ne sait jamais.

« Oh! Lâche-la! Qu'est-ce tu fais là! dis-je, avec ma voix des grands jours.

— Qu'est-ce que tu fous chez moi, toi, casse-toi! me répond le frère de Monique.

— Oh, ferme ta gueule! Ou bien tu la lâches, ou bien je t'écrase le marteau sur la gueule! Et toi, espèce de pédé, ta sœur est en train de se faire défoncer et tu bouges à peine ! C'est quoi, cette baraque de oufs ? »

Au même instant, le beau-frère débarque et braque une arme sur moi. Je me demande ce que fait mon pote et pourquoi il est là, celui-là. Cela fait plus d'une demi-heure que je ne l'entends pas ! Je connais le beau-frère depuis assez longtemps, bien avant qu'il se marie avec la sœur de Monique. Les quartiers, c'est comme des petits villages, tout le monde se connaît.

« Oh, Bachir ! Tu me reconnais, c'est moi !

— Je m'en bats les couilles ! Casse-toi ! »

L'arme braquée sur moi est assez dissuasive et je n'insiste pas. Je lui montre que je pose délicatement le marteau par terre. Je sors de l'appartement en reculant, sans toutefois oublier d'apostropher la grosse pouf : « Toi, j'toublie pas, j't'attends en bas, j'ai toute ma nuit ! »

Je veux régler cette affaire ce soir. La suite arrive : Monique, accompagnée de ses parents. Au départ, je n'ai pas vu ses parents, ils se tenaient à l'écart pour voir ce que j'allais faire. Vicieux ! Elle s'avance toute seule vers moi, pour monter dans l'immeuble.

« Alors, Monique, t'es pas venue au rendez-vous ? C'est pas grave, tu sais, j'ai toute la soirée pour t'enculer, espèce de connasse !

— T'as un problème, petite salope ? »

C'est le père de Monique qui vient de s'adresser à moi. Il soulève son tee-shirt pour me montrer le calibre qu'il coince entre son gros bide et son froc.

« Aaaah, c'est soirée calibre ! OK, t'as gagné pour l'instant ! Mais, t'as vu, j'bouge pas ! Tu peux ramener qui tu veux, j'bouge pas ! Sur la tête de ma mère que j'bouge pas ! Espèce de pute ! »

Ça c'est pour Monique, qui s'active pour entrer dans l'immeuble.

« On va appeler les flics, tu vas voir si tu vas pas bouger, petite pute ! me balance le père en suivant sa femme et sa fille dans l'immeuble.

— Appelle-les, j'vais leur dire c'que t'as sous ta chemise, enculé ! »

Je n'ai pas l'intention de bouger. Je sens quelque chose de bizarre dans cette histoire. C'est ce qui me décide à squatter en bas de l'immeuble. Je les vois tous m'observer de leurs fenêtres. Dès que je lève la tête, ils se cachent.

Dix minutes plus tard, une bande d'une dizaine de lascars se pointe. Apparemment, ils sont commandités par Monique. Malheureusement pour elle, je les connais tous : on allait à l'école ensemble.

« Wowesh ! Ça fait longtemps qu'on s'est pas vus ! Ça va ou quoi ?

— Tranquille, le chat !

— Y a une pineco qui m'a appelé, elle a une embrouille dans le coin ! Ce serait pas avec toi, par hasard ? »

Elle commence à me chauffer sérieusement, la Monique, à me ramener du monde tout en se cachant ! Pendant que mon pote discute avec un des lascars, je demande discrètement à une de mes copines d'aller à la cité chercher mon cousin et ses potes. Je lui demande aussi de prévenir ma mère. Puisque Monique a ramené ses parents, ce sera plus équitable. Chacune ses adultes !

Je reprends la discussion avec les lascars. Il est clair qu'ils n'ont aucune envie de s'embrouiller avec moi, surtout quand je leur explique la raison de ma présence.

« Mais ça fait longtemps cette histoire ! Ça fait bien cinq, six ans maintenant non ?

— Ben ouais ! Mais il y a des connasses qui aiment bien parler pour rien ! Elles parlent alors que je ne les connaissais même pas au moment des faits. Ça fait deux mois qu'elles me cassent les couilles avec ça ! Au début, je voulais juste qu'on s'explique, mais maintenant qu'elle vous a ramenés, j'vais les niquer toutes les deux ! »

Elle croit m'impressionner avec ses dix lascars, elle va être surprise quand elle va voir ce qui arrive ! C'est pas dix mecs que mon cousin me ramène, c'est une meute ! Il y a des gars de trois cités différentes. En un rien de temps, il y a une quarantaine de silhouettes en bas de l'immeuble. Je sonne à l'interphone pour gueuler : « Espèce de pute, t'as voulu me ramener du monde, regarde par la fenêtre ! »

Je raconte à mon cousin ce qui se passe, sans lui parler des guns. Je ne tiens pas à ce que ça tourne en sucette et qu'on lui tire dessus. J'ai un peu peur de la tournure que vont prendre les événements. Il y a maintenant tout un attroupement en bas de l'immeuble. Personne n'a vraiment envie de bagarre. L'ambiance est plutôt à la compréhension de ce qui se passe.

« Mais, je croyais que tu venais taper l'appartement !

— Ah ouais ? C'est ce qu'on t'a dit ? Cette pute raconte n'importe quoi ! Je suis venue pour m'expliquer sur des histoires qu'elle et ses copines font courir pour me faire peur. En arrivant, je me suis fait braquer par son beauf et son pédé de père. Après, elle me ramène toute une bande de lascars. Maintenant, j'apprends que je veux lui taper son appartement, c'est vraiment trop fort ! Elle a pas peur cette pute ! »

Monique a donc raconté que je voulais braquer l'appartement de son frère pour faire intervenir sa bande et qu'ils me dérouillent. Cela explique aussi la présence de son père avec son joujou. Je suis estomaquée par tant de vice et de méchanceté gratuite. Que lui ai-je donc fait pour qu'elle me veuille tant de mal?

À ce moment-là, arrive ma mère. Elle a les nerfs car cela fait deux mois qu'elle entend parler des histoires de Monique.

« Qui est-ce qui casse les couilles à ma fille, ici? »

Elle nous a fait peur, on ne l'avait pas vue arriver. Elle apostrophe tous les jeunes qui se trouvent là.

« C'est pas moi, madame!

— C'est pas moi, madame! »

Mon cousin a profité de la confusion sur le trottoir pour se faufiler dans l'immeuble et atteindre l'étage où ils sont tous barricadés.

« Eh! Y a ton cousin qui est monté!

— Merde! Il ne faut pas qu'il monte, ils ont des armes! »

Ma mère décide de monter aussi, pour s'expliquer avec les parents de Monique et calmer mon cousin. Moi, je ne veux pas monter. Je ne veux pas raconter ma vie, mes viols, etc. La honte! Je n'ai qu'une envie : leur péter leur petite face de rat à ces deux pétasses qui se cachent!

Par l'interphone, ma mère me demande de monter. Quand j'arrive en haut, le palier est plein de gens et il règne un silence religieux. Tout le monde écoute ma mère parler. Elle parle de moi, de mon histoire, de la souffrance que je trimballe depuis toutes ces années. Personne n'ose l'interrompre. Je suis sidérée. Je ne l'ai jamais entendue parler ainsi de moi, utiliser les mots « viols », « souffrance ». C'est la première fois qu'elle me défend. Je suis tellement surprise d'entendre ce qu'elle pense de moi, et tellement touchée par ce qu'elle fait, que j'ai envie de pleurer. Du coup, je n'ai plus envie de frapper ces deux connasses.

« Cela fait plus de deux mois que Monique téléphone à la maison pour dire à Sam que son agresseur est sorti de prison, qu'il faut qu'elle fasse attention. J'en passe et des meilleures... Elle joue avec ses nerfs et avec sa souffrance ! Sincèrement, je ne souhaite pas à votre fille ce qui est arrivé à la mienne ! »

Putain, elle m'a bluffée, ma mère ! Je suis complètement retournée.

« Écoutez, madame, nous n'étions pas au courant de cette histoire. Nous pensions que la petite venait casser avec ses copains. C'est ce que Monique nous a dit. Nous sommes vraiment désolés ! », etc.

La mère de Monique se dirige vers sa fille et lui administre une claque magistrale.

« Je savais que tu étais une salope, mais là tu as dépassé toutes les bornes ! À partir de maintenant, tu ne mets plus les pieds dehors et on va régler ça à la maison ! »

L'histoire s'arrête là pour tout le monde. Pour moi, elle ne s'arrête pas. C'est la première fois que je ressens pour quelqu'un une rancune aussi tenace. Je me suis juré que je péterai le crâne à cette salope quels que soient le lieu, le moment, le temps qu'il faudra attendre pour y arriver. Elle ne sort jamais complètement de mes pensées et partout où je vais, je la guette. L'occasion se présente... trois ans après. Je tombe sur Monique en faisant mes courses à Carrefour. Je suis au rayon petits pois-carottes quand je l'aperçois. Tranquillement, je gare mon caddie rouge et je me dirige vers elle.

« Alors, Monique, comment ça va ?

— Oh, ça va ! Ça me fait plaisir de te revoir ! » me lance-t-elle avec un grand sourire.

Elle est vraiment déglinguée, celle-là.

« Ah ouais ? Tu me demandes comment je vais, avec un grand sourire en plus ! T'as la mémoire bien courte ! »

Elle n'a pas le temps de me répondre, elle se prend un coup de plafond en pleine tronche.

« Tu te rappelles, l'embrouille ?

— Mais, c'est pas moi, c'est mon frère, c'est lui... »

Je ne la laisse pas finir. Elle se prend un deuxième coup de boule.

« Ah ! Maintenant, c'est ton frère ! Ce serait pas ta grand-mère, non plus, par hasard ? »

Bing ! Ça tombe ! Je lui balance une droite dans son nez déjà pété. Pour finir, je lui décoche un mollard dans la figure. Je vais pour partir quand elle me relance : « Ça va pas se finir comme ça ! »

Ah ouais ! Calmement, je me retourne, je prends une petite boîte de petits pois-carottes au passage. Toujours calme, je lui dis : « Écoute-moi bien, espèce de petite merde ! Ramène-moi qui tu veux : toute ta famille, le 93 en entier si ça peut te faire plaisir, je m'en bats les couilles ! C'est clair ? Ta famille, je la crame, je les encule tous un par un ! Et ça, c'est pour ta grande gueule ! » Et bing ! Elle se prend la boîte de petits pois-carottes en plein zen. Elle pisse le sang. Je n'ai pas intérêt à traîner trop longtemps ici, sinon je finis chez les keufs. Je reprends calmement mon caddie rouge pour ne pas me faire remarquer, et je me dirige vers la caisse.

Putain ! Je tremble de tous mes membres, mes jambes ont du mal à me porter et mon cœur bat à mille à l'heure. De plus, j'ai un putain d'œuf sur le front, consécutif aux deux coups de boule. Je fais semblant de vérifier mes courses pour surveiller les alentours. Là, je l'avoue, j'ai été sans pitié avec elle. Je lui ai démoli sa face de rat. C'est vrai qu'elle a une face de rat. Elle a des petits yeux ronds et noirs, un nez pointu comme un museau et des dents de rongeur. Une vraie tête de rat. Je viens de lui faire une restructuration faciale gratuite. Qu'elle n'aille pas se plaindre !

« Excusez-moi, c'est vous qui avez frappé la jeune fille ? »

Merde, le vigile ! Je ne l'ai pas vu arriver celui-là. Allons-y au culot !

« Oui, c'est moi. Je suis désolée que cela se soit passé dans Carrefour. Cette fille m'a envoyé, il y a deux ans, des gars pour me frapper. Bilan : quinze jours d'hosto. Je me suis juré que si je la retrouvais, je me vengerais ! Je viens juste de la retrouver et je me suis vengée !

— Mais, vous l'avez massacrée !

— Vous m'avez pas vue, il y a deux ans ! »

Le vigile comprend que c'est un règlement de comptes entre meufs. Il n'a pas envie de se prendre la tête. Il sourit même en hochant la tête. Apparemment, deux meufs qui se battent, cela le fait marrer.

« Vous êtes une nerveuse, vous alors ! Bon, allez, dépêchez-vous de payer !

— Merci, monsieur, OK, je me dépêche. »

Ouf ! J'ai eu une sacrée chance ! C'est à peine croyable ! Bon, c'est vrai qu'elle peut toujours porter plainte et m'envoyer les keufs.

Deux jours plus tard, comme par hasard, je la rencontre dans un bus. Elle est cachée derrière des lunettes noires, mais son visage a toutes les couleurs de l'arc-en-ciel. Cela va du bleu au jaune en passant par le mauve et le violet foncé ! J'ai carrément du mal à la reconnaître. En passant à

217

côté d'elle, je ne peux pas m'empêcher de lui faire une petite mise à l'amende : « Baisse tes yeux ou j'te refais la même ! » Ensuite, je vais m'asseoir près de la sortie, histoire de la fixer encore une fois dans les yeux avant qu'elle ne descende du bus. Je savoure ma vengeance et ma « force suprême ». Un peu bidon, ma force suprême ! Au fond de moi, je ne suis pas très fière. Cette violence qui m'habite m'effraie. Je sais que je ne fais qu'obéir à la loi des cités, qui veut qu'on sauve sa réputation coûte que coûte. J'aurais sans doute pu utiliser mon intelligence plutôt que ma violence si cette embrouille machiavélique ne m'avait fait atteindre les limites du supportable en matière de menaces et de commérages. J'ai été blessée aussi, je l'avoue, de ne pas avoir été soutenue par Lyes. Je devrais pourtant savoir, il l'a assez prouvé, que je ne peux rien attendre de lui. Pourtant, il est à l'origine de cette affaire. Monique avait essayé de l'allumer au cours d'une soirée, et comme ça n'avait pas marché, elle s'est tout bonnement vengée sur moi. Lyes a préféré rester neutre, prétextant que c'était des embrouilles de meufs et que je me faisais des films ! J'ai appris bien plus tard que Monique m'en voulait aussi parce qu'elle ne supportait pas que je m'entende bien avec Fabrice, son mec de l'époque

Lyes commence à atteindre les limites de ma patience et à user les toutes dernières cartouches de mon amour. Il ne prend absolument pas en compte ce que je lui dis et refuse tout dialogue. Il ne veut pas entendre que je me suis sentie bafouée par son manque d'engagement. Selon lui, je me joue des films et toute l'histoire avec Monique est un délire de nanas. Il est si catégorique qu'il me fait douter de moi. Cette histoire me détermine à changer d'attitude avec lui. Je la ramène davantage. C'est une guerre quotidienne sans merci. Je fais comme ma mère avec moi, j'emploie la même tactique. Je le tyrannise perpétuellement. Aussi prend-il de plus en plus de champ. Il disparaît maintenant des semaines entières, il dit qu'il est en rave... Il se fout grave de ma gueule, quoi!

19

Grillée

Après mon année de secrétariat, je suis restée au chômage pendant quelques mois puis j'ai trouvé une formation qui m'emballe : animatrice touristique, en club de vacances. C'est tout à fait dans mes cordes, parler une langue étrangère, savoir danser, chanter, jouer la comédie, dessiner. Je suis sélectionnée pour la formation et je passe six mois à apprendre tous les secrets de l'animation, tout en prenant mon pied. Cela va des jeux café genre loto ou bingo aux soirées-spectacles, en passant par les secrets du relationnel avec les clients, les danses de salon, les chorégraphies, les sketches, le tir à l'arc. La panoplie complète du bon GO.

Ma formatrice, Sabrina, croit en moi, elle me soutient beaucoup. Elle a un petit faible pour moi et ferme les yeux sur mes manques, les retards, par exemple. Elle me fait découvrir mes talents de comique et me renvoie de moi-même une image très positive. Cela me repose de l'image de « racaille » que je traîne habituellement.

Puis il nous arrive un truc inespéré inimaginable, fabuleux. Notre groupe est sélectionné pour jouer *Le Satiricon* de Pétrone, au Trévise à Paris. Nous jouons avec des costumes et des masques, et travaillons la gestuelle et le mime. Je m'éclate complètement. J'apprends comment on monte un vrai spectacle : la déco, les éclairages, les costumes... Je nage dans le bonheur et je ne vois pas le temps passer. Je rentre chez moi et je dors, épuisée. Deux mois auparavant, je ne glandais rien, aujourd'hui j'ai un rythme d'enfer. Formation la journée et deux représentations par soir au théâtre. Je n'ai plus le temps de sombrer dans le marasme en pensant à Lyes. Je l'oublie grâce aux relations que je me fais au théâtre. Je découvre la vie en groupe, les crises de fou rire en répétition. Je vis une expérience très forte. C'est comme un rêve pour moi. Je n'ai jamais vécu autant de choses positives et je n'arrive pas à croire que ce soit possible.

Un soir, nous allons tous finir la soirée dans un karaoké, du côté d'Opéra. C'est la première fois que je sors sans avoir peur. Je me sens légère et insouciante. Je suis avec des gens généreux, sains. C'est un autre monde et je m'y sens si bien ! J'ai bien sûr mon clan, une petite clique de fous furieux qui me ressemblent. À la fin de la soirée, je propose à ceux qui n'habitent pas Paris de venir coucher chez moi. Anita, Fatou, Abdel et

Yanis acceptent. Nous avons passé une bonne soirée et sommes particulièrement euphoriques. Tout en discutant, nous faisons tourner les joints. Anita et Fatou s'endorment aussi sec. Je me retrouve à discuter avec Abdel et Yanis. Abdel a vingt-cinq ans, il vient de Lille et n'a pas la mentalité des cités : il est ouvert et plein d'humour. C'est un plaisir de discuter avec lui. Yanis n'a que dix-huit ans et c'est le beau gosse du groupe. Avant d'entamer cette formation, il jouait au Paris-Saint-Germain chez les juniors. Il a dû stopper sa carrière débutante à cause d'une blessure au genou. Il est extrêmement charmeur et allume toutes les meufs du groupe. Il a essayé avec moi et s'est pris un râteau direct. Je ne peux pas le prendre au sérieux quand je le vois faire son cinéma à tout le monde. Ce soir-là, pourtant, je surprends plusieurs fois des regards en coin, mais je n'y prends pas garde.

Anita s'est endormie à côté d'Abdel et Fatou a squatté le canapé. Ils dorment profondément et je n'ose pas les réveiller. Je n'ai plus qu'une solution, partager mon lit avec Yanis. Je mets les choses au point :

« Toi, tu restes de ton côté, tranquille ! OK ? »

Je soupçonne Yanis et Abdel d'avoir combiné ce petit traquenard. Je m'attends donc à tout, sauf à ce que me chuchote Yanis.

« Je ne sais pas comment commencer... Je voudrais t'expliquer... Je sais, on te la fait pas à l'envers... Ça m'est difficile de te parler, tu m'impressionnes beaucoup.

— Allez, commence pas, Yanis !

— Écoute-moi ! À mes yeux, tu es la seule qui brille au stage ! Je sais, je suis un gamin pour toi, j'ai que dix-huit ans !

— Et ton brillant numéro de beau gosse avec les meufs du stage, qu'est-ce que t'en fais ? Tu me prends pour une gougoune ! Allez, vas-y, faut pas me la faire !

— Il faut bien que je cache mon jeu ! C'est toi que j'ai envie de découvrir. En représentation, je te regarde comme un fou ! Laisse-moi te prouver que je ne suis pas un gamin ! On s'en fout de notre différence d'âge ! Je suis sincère avec toi, Sam. J'aime tout en toi. J'aime ton sourire, tes yeux, tes cheveux. Ah ouais, ils sont mortels, tes yeux ! Et ton caractère, ah, il est vraiment mortel ! J'aime tout en toi, Sam !

— Tu sais, Yanis, ma vie est compliquée... Bon, écoute, je vais réfléchir, maintenant, il faut dormir. D'accord ?

— Écoute, Sam, je suis pas un salaud. Crois-moi ! »

Woua ! Jamais on ne me l'avait faite, celle-là ! Une déclaration d'amour, une vraie, comme au cinéma ! Je suis impressionnée, toute retournée. Moi qui suis habituée à des manières et à des mots de sauvages, cette tendresse me bouleverse.

Toutes les petites bourges du stage lui courent après et c'est Sam la caillera qu'il préfère! Je n'arrive pas à croire que je puisse susciter de tels sentiments.

Cela fait plus de deux mois que je ne vois plus Lyes. Je n'ai plus envie de recoller les morceaux. Je suis fatiguée, usée par ce qu'il me fait vivre. Je suis lasse de souffrir, d'attendre quelque chose qui ne viendra jamais. Je sais qu'il ne changera pas. Sa vie, c'est s'éclater avec ses potes, c'est claquer de l'oseille. Je ne veux pas d'une vie à attendre mon mec, avec la hantise qu'il se fasse coffrer un jour ou l'autre. Je ne veux pas préparer la tchoutchouka pendant qu'il vit sa vie dehors. Je ne veux pas faire des mômes dans cette banlieue pourrie. Je ne veux pas reproduire ce qu'a fait ma mère, avec vingt ans d'écart.

Je m'en suis rendu compte en fréquentant Yasmine, Lydie et Sandrine. Yasmine est maman d'une adorable petite métisse, Shana. Sandrine est enceinte de quelques mois. Nous sommes toutes les quatre malheureuses en amour. Nous courons après des mecs qui, eux, courent après l'argent. Nous passons notre temps à les chercher, à nous demander ce qu'ils font et avec qui. Le soir, quand ils daignent rentrer, nous n'avons pas le droit de nous plaindre et ce sont des embrouilles sans fin. Par amour, nous acceptons cette situation, nous subissons, nous restons.

Dans cette putain de banlieue, les mecs sont tous fabriqués sur le même moule. Lyes est un modèle courant. Les « gars bien » sont des exceptions. Les copains de Yasmine et de Sandrine sont en taule pour une affaire de viol en réunion. Ils étaient dans un appartement avec une « salope », comme ils disent, elle les a allumés et ils n'ont pas pu résister... Eh, comment ! Je connais la chanson !

J'ai jadis parlé, rigolé, partagé de bons moments avec ces mecs et ils sont capables de violer une fille et de la rendre responsable de leur acte. Je suis dégoûtée. À qui peut-on donc se fier ? J'évite de dire ce que je pense à Yasmine et à Sandrine. De toute façon, elles sont sûres de l'innocence de leurs copains. Elles ne se posent pas de questions. Ils ne sont pas fautifs, la fille les a cherchés ! Elles ne pensent qu'à une chose — faire sortir ces petits cons de prison — et se donnent un mal fou pour cela. L'une enceinte, l'autre avec une gamine. Elles travaillent double pour payer l'avocat, envoient des mandats toutes les semaines pour les achats de ces messieurs. Deux fois par semaine, on se tape le trajet pour les rencontrer au parloir. C'est qu'il faut y aller à Bab el-Oued City, avec les poussettes, les sacs pleins de linge qu'on rapporte sale au retour et les enfants. Il faut leur envoyer le courrier, gai si possible, pour ne pas casser leur petit moral. Si ce n'est pas le cas, tout le monde fait la tronche pendant la visite au parloir. C'est une vraie galère.

Je ne dis pas que ce soit la belle vie d'être en prison, mais celles qui portent et soutiennent moralement et financièrement les prisonniers, ce sont leurs femmes. Quand leurs mecs sont en taule, les femmes sont dans une mouise sans nom. La liberté, elles n'en ont plus. Elles assument tout : les grossesses, les naissances, l'éducation des enfants, la nourriture, le loyer, les mandats, les avocats. Elles courent comme des folles pour tenter de réparer les conneries faites par leurs hommes. Sandrine et Yasmine me rappellent ma mère et quand je vois la petite Shana, je me vois enfant. C'est la même histoire. Je n'ai pas du tout, mais alors pas du tout envie de cette vie-là. Je ne veux pas d'un mec qui fasse des allers-retours en prison. Je ne veux pas courir chez les avocats. Je ne veux pas des face-à-face hebdomadaires au parloir, avec les enfants endimanchés sur les genoux. Je ne veux pas être prise dans la spirale qui aspire Sandrine et Yasmine pour la vie.

Ce que je veux, c'est un mec normal, qui rentre le soir, me parle, me trouve belle, s'intéresse à l'éducation de ses enfants. Un mec normal, quoi ! Ça existe, non !?

Je veux oublier d'où je viens, changer de vie. Lyes est pris dans un engrenage dont il ne se sortira pas. Il joue avec le feu, avec sa vie, avec les limites. Sa devise le pousse toujours plus loin : « J'encule avant qu'on m'encule. » Je ne rentrerai pas dans cette escalade. J'en ai marre que ma vie ne soit faite que de pleurs. Je veux rencontrer des gens intéressants, des gens qui me respectent et m'aident à grandir, des gens qui rendent belle ma vie.

Le soir, en représentation derrière son masque, Yanis ne me lâche pas des yeux. Il me crie des « je t'aime » silencieux que je reçois, tout heureuse. Pendant la journée, il est plein d'attentions à mon égard. Il est gentil, drôle, attentif et charmeur. Sa maturité me fait oublier son âge. Je n'ai jamais connu pareille sensation. Je suis noyée de tendresse et d'amour, et cela me fait peur. C'est sûrement trop beau pour moi. Je m'attends à une claque du style : « Je l'ai matée, cette coriace ! » ou bien encore : « Hi, hi, c'était pour rire ! »

J'ai peur de salir Yanis, il est si beau, si sain et si gentil. Je viens d'un monde si glauque, si sale, si vicieux. J'ai peur aussi des menaces de Lyes. Je suis sa meuf, donc sa chose, et il ne me laissera pas partir aussi facilement. Cela n'a pas été dit clairement mais c'est suffisamment sous-entendu. Un soir, après la représentation, je me décide à croire Yanis et à me jeter les yeux fermés dans cette histoire qui me tend les bras. Je l'invite à passer la soirée chez moi, en espérant que Lyes n'aura pas la malencontreuse idée de se pointer, juste ce soir-là, après trois mois d'absence.

Après cette nuit passée ensemble, ma vie est un bonheur. Tous les jours, Yanis me submerge d'amour. Je découvre des émotions magnifiques. Il balaie d'un coup mes années de cauchemar avec Lyes. J'oublie tout dans ses bras. Avec lui, je suis femme, avec lui, je suis belle, même quand je dors. Il me réveille avec des petits déjeuners au lit, des bisous, un bouquet de roses. Il m'emmène au restaurant et sous ma serviette, je découvre parfois une petite surprise

Avec lui, la vie me sourit. Au théâtre, nous avons trouvé une petite cachette pour nous retrouver avant la représentation. Dans ce petit coin ignoré de tous, c'est la fièvre. Nous avons tellement besoin de nous parler, de nous toucher, de nous sentir, de nous embrasser. Nous ne nous quittons plus. Ce bonheur me fait m'interroger sur ma relation avec Lyes, nous sommes-nous jamais aimés? Qu'est-ce qui nous a unis, Lyes et moi? Comment ai-je pu rester si longtemps avec lui sans amour?

Un soir, Karima, une des stagiaires, nous raccompagne en voiture, Fatou, Yanis et moi. Derrière, Yanis m'enlace, nous écoutons de la musique et je regarde distraitement par la fenêtre défiler les voitures sur le périph. Soudain, dans une voiture, à notre hauteur, je reconnais Lyes, accompagné de ses potes. Il tourne la tête dans ma direction et me reconnaît. Il se met à klaxonner comme un fou, il semble enragé, et je lis sur ses lèvres : « Ah ! Je t'ai grillée ! » Il me fixe dans les yeux et passe son pouce sur sa gorge comme pour l'entailler. C'est ce que, chez nous, on appelle « le sourire kabyle ». Cela me fait froid dans le dos. Karima accélère et le perd sur le périphérique.

À partir de ce jour, je ne suis plus tranquille. Je le surprends à rôder autour du théâtre, je reçois des appels anonymes et je suis aux aguets partout. Cependant, je suis déterminée à ne plus le revoir et il le sent.

Yanis et moi devons mettre un terme à notre belle histoire d'amour. En effet, à la fin de la pièce, nous allons tous partir dans des endroits différents du monde, faire notre stage pratique d'animation. Je n'ose pas penser à l'après-Yanis, je profite au maximum des instants qu'il nous reste. Il me promet de ne pas m'oublier, de m'écrire, de m'appeler tous les jours. Il fait des projets à long terme, parle de ce que nous ferons à notre retour de stage dans trois mois. Je souris mais ne réponds rien. Il parle avec l'enthousiasme de ses dix-huit ans et ne se rend pas compte que ce que nous allons vivre va nous transformer. Trois mois c'est peu, mais cela peut être long.

Mon stage pratique se passe en Savoie, à Saint-Jean-de-Maurienne. Les Carlines est un hôtel-club dont l'ambiance est très familiale. Ce stage m'éclate. L'équipe est super. La responsable, Michèle, est marrante, compétente et sympa. J'apprends beaucoup avec elle. Dans la journée, nous préparons les costumes et la déco pour les spectacles du soir ou nous répétons les sketches. Parfois, nous retrouvons les clients pour un punch sur les pistes, déguisées en Antillaises. Deux fois par semaine, il y a un repas à thème. Cela va de la soirée à la plage ou orientale au dîner d'extra-terrestres ou de vampires. Il faut donc décorer la salle de restaurant en conséquence, trouver sans cesse de nouvelles idées, fabriquer les décors et les peindre. Pour la soirée alpinisme, je me retrouve suspendue au plafond du restaurant, maintenue par un harnais...

Nous créons les spectacles de toutes pièces. Nous imaginons les sketches et ce sont des parties de rigolade mémorables. Fred, Stephan et moi sommes toujours partants pour faire les fous sur scène et proposer des sketches délirants qui éclatent Michèle et l'équipe. Il y a une réelle fusion entre nous tous, ce qui est rare. Côté clients, c'est agréable aussi, certains me disent que mon sourire et ma gentillesse ont transformé leurs vacances. Cela me fait tout drôle, j'ai l'impression qu'on parle de quelqu'un d'autre. La seule fausse note — si je puis dire —, c'est les soirées karaoké. Je chante comme une casserole et, ces soirs-là, Michèle me donne ma soirée !

Je préfère donner un coup de main au bar, cela m'évite de cafarder dans ma chambre en relisant les lettres que m'envoie Yanis. Il est au Kenya, mortel pour un stage pratique ! Il se réveille les pieds dans une eau bleu turquoise pleine de poissons multicolores. Il s'emmerde, l'hôtel est peu fréquenté et les clients sont assez âgés. Pour l'animation, ce n'est pas le pied. Il a tout le loisir de rêver de moi et il m'envoie des lettres merveilleuses, enflammées et parfumées. Ses lettres me transportent de bonheur. Je trouve extraordinaire d'être aimée comme cela. Je n'ai jamais vécu ça. Il me fait toucher la Lune ! Pourtant, au fond de moi, une petite voix reste vigilante : « Il n'a que dix-huit ans, Sam ! À cet âge-là, on n'aime pas pour toute la vie ! Protège-toi ! » Je commence à connaître la vie, maintenant, et les belles promesses, je n'y crois plus trop. Avec son charme et son talent, Yanis va être très sollicité et les choses peuvent changer très vite pour lui.

À mon retour de stage, j'apprends que nous repartons pour une autre destination. Je pars pour la Grèce et Yanis pour la Crète. Nous fêtons nos retrouvailles en amoureux, chez moi, mais quelque chose a changé. Yanis n'est plus le même, il est distant. Il ne voit que par son responsable de stage du Kenya, qui est devenu son super pote. Ce super responsable me fait une très mauvaise impression. C'est un tchatcheur, sans scrupules, qui cache sa méchanceté derrière un côté speed. Mon impression, c'est que c'est la cocaïne qui le fait tenir. Je me garde bien de faire part à Yanis de ce que je ressens, cela ne servirait à rien, il est trop dans son truc. Nos destins se séparent, c'est le contrat. « Chacun sa route, chacun son chemin... » Nous devons aller donner la banane aux vacanciers, chacun de son côté. On se quitte à Athènes, il prend un avion pour la Crète, je prends un bus qui va m'emmener dans un hôtel, à quarante kilomètres de la capitale. Au moment de le quitter, je sanglote dans ses bras comme une petite fille. Pendant le voyage en bus, je pleure jusqu'à en avoir mal à la tête. Bienvenue en Grèce !

Ces derniers mois, j'ai vécu des choses très riches et j'ai énormément reçu de la troupe. Mes formateurs, notamment Sabrina, m'ont soutenue à mort. Pourtant, et c'est assez contradictoire, j'ai continué à trimballer mon sac à souffrance et mes crises d'épilepsie. J'ai continué d'exploser à la moindre émotion. C'est que je veux que l'on sache que je déborde de souffrance. Il ne faut pas qu'on l'ignore. Je suis la souffrance personnifiée et je veux que vous la preniez tous en pleine tête ! Je me trouve pathétique avec mes décharges à répétition, mais je ne peux pas m'en passer. Il faut que j'explose. Je ne me rends pas compte que cela nuit à mon travail. On commence à hésiter à m'envoyer en saison. Sabrina insiste pour que l'on me donne une chance. Elle croit en moi et cela me fait beaucoup de bien.

En Grèce, nous travaillons jour et nuit. Le jour, nous assurons les animations et la nuit, nous préparons et répétons les spectacles. J'adore ce rythme de fou, mais je ne tiens pas. Je suis exténuée et cela se traduit par davantage de crises d'épilepsie. Elles sont de plus en plus fortes, de plus en plus rapprochées dans le temps. J'essaie de toutes mes forces de m'accrocher, mais je suis trop naze. Le responsable veut me faire rentrer à Paris, Sabrina me propose Chypre dans un petit hôtel où il y a peu de boulot.

L'hôtel a une équipe d'animation très réduite. Il y a Lucien, le responsable, et moi. Plus tard, il y adjoint sa meuf et deux stagiaires. L'ambiance n'a rien de terrible. Lucien, qui est un ex-commando, se croit à l'armée. Il gueule tout le temps et n'en glande pas une. Nous essayons de faire de l'animation avec les moyens du bord. Sa meuf ne sait rien faire, ni sports, ni activités, ni spectacles, et les deux stagiaires se croient en vacances : résultat, c'est moi qui fais tout.

Au bout de quatre mois de ce rythme, je m'accroche, mais j'ai souvent le cafard. Je veux montrer que je peux faire toute la saison. Nous avons quelques avantages, un scooter notamment, qui me permet de m'échapper. Je visite ou je vais à la plage l'après-midi. Parfois, je bouge avec Aziz, un des stagiaires. C'est un filou, celui-là. Il n'en glande pas une mais s'en sort toujours par une pirouette. Je l'accompagne parfois lorsqu'il va s'acheter des vêtements. Nous faisons le tour de toutes les boutiques les plus chic. Il ne lésine pas, Aziz, il va même jusqu'à m'offrir une paire de Timberland. Généreux, n'est-ce pas ! Sur le moment, je ne tique pas.

Les jours passent et les clients aussi. J'ai de plus en plus envie de fumer un pétard, l'ambiance ne me va pas du tout. Grâce à une grosse tchatche, je parviens à passer trois jours à Paris et je rapporte un peu de shit. À Paris, je rencontre Lyes qui cherche par tous les moyens à se faire des sous. Il est comme un fou, sans argent. Je ne l'ai jamais vu dans un état aussi désespéré. Je sens aussi que mon départ ne le laisse pas indifférent. Sa manière à lui de me le faire savoir, c'est de me peloter sous la jupe. C'est un grand romantique !

De retour à Chypre, je retrouve Lucien et sa gueule de con, ainsi que son abrutie de meuf. Certains soirs, après mon boulot, je me prépare une salade avec des fruits que j'achète chez un vieux Chypriote adorable. Je m'installe sur la terrasse pour la déguster et kiffer mon petit joint du soir. Je regarde les étoiles et je leur parle. Je leur demande de m'aider à finir la saison. Dans mon délire, j'ai l'impression qu'elles me répondent en clignotant un peu plus et je me sens réconfortée.

Un après-midi, après mon cours d'aquabuilding, je pars pour faire ma balade en scooter. Le réceptionniste m'interpelle et me dit que deux messieurs veulent me parler dans le bureau du responsable. Dans le bureau, il y a Lucien, Aziz et deux gros malabars à la moustache drue. Ils me demandent si je suis bien moi : je confirme.

J'apprends que ce sont des keufs chypriotes en civil. Ils nous demandent, à Aziz et à moi, de les suivre sans un mot. Ils nous embarquent dans un commissariat, à Aya Napa. D'habitude, je vais à Aya Napa pour danser mais j'ai l'impression que cette fois-ci, c'est une autre fiesta qui se prépare. Au commissariat, il n'y a que des têtes à moustaches, genre *Midnight Express* version grecque. Quand ils parlent grec, on a l'impression qu'ils s'embrouillent continuellement. Ça impressionne ! Je ne capte rien à ce qu'ils disent. Je galère depuis huit heures sur un banc, sans savoir ce que je fous là. Je panique.

Le commissaire a la gueule de l'emploi lui aussi, et il me fait flipper. Il me pose des tas de questions en anglais, avec son accent de ouf. Il faut s'accrocher pour comprendre. Il me demande si je connais Aziz et si c'est mon mec. Si je couche avec lui, si je suis allée faire des courses avec lui, etc. Je comprends vite qu'Aziz m'a offert des pompes et deux tee-shirts avec une carte bleue volée dans un hôtel pas loin du nôtre. Il en a acheté pour trente mille balles ! Rien que ça ! Ah ça, il s'est fait plaisir, l'enculé ! Ils m'ont appréhendée parce que sur certaines vidéos, on me voit l'accompagner dans ses achats.

Pendant huit jours d'affilée, Midnight Express et ses collègues m'interrogent sur cette carte volée, en nous confrontant tous les deux de temps en temps. J'explique que je ne savais pas que la carte était volée et qu'Aziz m'avait dit avoir touché une grosse somme des Assedic correspondant à un retard de paiement. Je dis qu'il avait envie de se faire plaisir et que, une fois ou deux, quand je l'accompagnais, il m'avait offert des petites choses. Tout cela en anglais, s'il vous plaît !

Le huitième jour, au soir, ils nous relâchent. Je ne sais pas ce qu'Aziz a raconté aux flics et par quelle pirouette il s'en est sorti, mais en tout cas, nous sommes dehors avec obligation de rapporter les affaires dès le lendemain. Midnight Express, avec son anglais qui roule des tonnerres de R, me conseille de ne plus fréquenter Aziz. En sortant du commissariat, je vois bien qu'Aziz s'en bat les couilles de toute cette affaire. Visiblement, il n'en est pas à sa première fois. Je lui fais tout de même remarquer qu'il m'a sérieusement mise dans la merde.

« Oh, ça va ! T'es dehors, non ? J'ai tout pris sur moi !

— Ouais, peut-être, mais en attendant, j'ai fait huit jours pour rien ! Et les conséquences au boulot, t'y as pensé ?

— Ouah ! Fais pas ta bouffonne ! Tu vas pas me dire que t'as jamais fait de carte dans le neuf trois !

— Je t'emmerde, connard ! »

Putain, laisse tomber, ce mec il me fout la rage ! Heureusement pour lui que je suis du neuf trois comme lui ! J'aurais pu enfoncer Aziz, mais on est à Chypre, et ça n'a pas l'air de rigoler ici ! Si c'est le cachot pour un joint, qu'est-ce que ça doit être pour une carte volée !

J'ai jonglé avec les keufs qui me testaient pour voir si je disais la vérité. Cela m'a permis de remettre en pratique ce que j'ai appris, le vice. Sam la racaille, bien qu'innocente, a pointé le bout de son nez. On aurait dit que j'étais la complice d'un vol de puce de l'armement nucléaire ! Apparemment, ils ont dû aimer ma compagnie pour me garder huit jours. Ils doivent s'emmerder grave à Aya Napa !

Je suis très en colère contre Aziz, mais je ne dis rien à ce connard débile et égoïste. Il ne comprendrait même pas. Môssieur est dans son délire. Il croit avoir fait un gros coup et se prend pour un chaud, ce trou du cul ! Il a tout niqué, ma place d'animatrice, mes projets d'avenir, mes efforts pour m'en sortir. Il me fait revenir à la case départ. Pauvre conne !

De retour à l'hôtel, c'est pire que ce que j'attendais. Il y a eu une fuite et tout l'hôtel est au courant, les clients comme le personnel. Certains me regardent comme une voleuse, d'autres viennent me voir pour me demander si je vais bien. Je me fais toute petite et continue à faire mon boulot. Je n'ose plus sortir le soir. Je m'enferme dans ma chambre et je fume. Le second stagiaire est parti, il ne supportait plus Lucien. Lucien et sa meuf ne me calculent plus que pour le travail. Aziz ne fout plus rien et Lucien n'ose rien dire. Une petite semaine passe et rebelote : arrestation à l'hôtel, perquisition à l'appartement et nouvelle garde à vue au commissariat des grosses moustaches.

En fait, Aziz a volé deux cartes de crédit. La deuxième apparaît seulement maintenant. Montant : vingt mille balles. Midnight Express nous fait le grand jeu. Il sort la liste des achats faits dans les boutiques, la traductrice et la petite baguette en bois avec laquelle il tape régulièrement dans sa main. C'est reparti !

« *Who stole the carrrd ?* (Putain le R aussi !) Qui a volé cette carte ?

— C'est pas moi ! (En anglais bien sûr.)

— Pourquoi tu ne m'as pas dit qu'il y avait une autre carte ?

238

— Je ne le savais pas !

— Tu étais avec lui, lors de ses achats, pourtant !

— Et alors ! Tous les jours je vais faire des courses, je vous l'ai déjà dit ! Je me promène au moment de ma pause. Je vous ai rapporté les affaires : une paire de chaussures. Les deux tee-shirts ont dû sortir sur l'autre carte. Regardez sur la liste !

— Tu n'as pas à me dire ce que je dois faire ! De toute manière, ce n'est pas pour cela que je t'ai convoquée. »

Il se met à me fixer longuement avec un sourire narquois. Au bout d'un certain temps, il me lance :

« À qui est le " hakik " que j'ai trouvé dans ta chambre ? »

Putain de sa mère ! Il est tombé sur une crotte de bique de shit, une minuscule boulette, un stick. Il n'y a même pas de quoi faire un joint. J'y ai bien pensé quand j'ai su qu'ils avaient perquisitionné, mais je me suis dit qu'ils n'allaient pas me prendre la tête pour une crotte de bique de boulette.

« Je sais pas, je fume pas ! »

Je sais aussi qu'à Chypre comme en Grèce les flics ne badinent pas avec les touristes fumeurs de joints. Ils ne font pas de détail, c'est carrément la prison... Non, le cachot ! Heureusement qu'ils n'ont pas perquisitionné la première fois, je n'avais pas encore tout fumé. Là, c'était parti pour *Midnight Express* en live! Bon, quoi qu'il arrive, il faut que je nie. C'est clair!

Après m'avoir pris la tête pendant deux jours avec le vol de la carte, il enchaîne avec le « hakik ». À qui appartient-il? Pourquoi l'a-t-on trouvé dans ma chambre, etc.? Il me vient une idée. Je lui dis que je me souviens être sortie avec un Anglais que j'avais rencontré dans une boîte à Aya Napa. J'ajoute qu'il a passé la nuit chez moi. Je l'appelle Bryan, c'est le premier prénom que j'ai appris en cours d'anglais!

Va trouver Bryan, un touriste anglais qui fume des pétards! Ça court les rues ici! Et puis, Bryan, ça fait longtemps qu'il a repris l'avion pour rentrer chez lui, à London. J'avoue que je suis assez contente de mon imagination. Je me fais passer pour une pauvre conne qui s'est fait plaquer par un touriste et qui se retrouve, en plus, en difficulté par sa faute! Mon baratin marche. Midnight Express me prend vraiment pour une pauv' meuf. Il me dit : « *Yes, yes, you're right! He fuck you two times!* » Ouais, ouais, t'as raison, enculé! Tes remarques sont des plus distinguées mais je m'en fous, je n'ai qu'une envie, c'est de sortir d'ici.

Le sixième jour, ils me relâchent et gardent Aziz. Je l'aperçois dans un bureau, il est tout bleu ! J'en ai rien à foutre. Quand je sors du commissariat, je n'ai pas un rond et je me tape vingt bornes sous le soleil de plomb pour rentrer à l'hôtel. Je marche comme une enragée, je parle toute seule, j'insulte la terre entière en filant des coups de pompe dans les caillasses que je rencontre. Il n'y a pas un arbre, pas une once d'ombre dans ce bled pourri. J'ai une putain de rage en moi. Il faut que je me calme avant d'arriver à l'hôtel. Les vingt bornes feront l'affaire ! J'ai le temps de penser et de faire des pronostics sur ce qui m'attend. De toute façon, dès le départ, Lucien m'a prise pour une racaille à cause de mes origines beurs. « Les Arabes sont venus pour baiser nos meufs et prendre notre travail ! » Voilà la théorie qu'il développe à tout bout de champ. Il va être content ! Bon, il ne faut pas exagérer quand même, je ne suis pas Pablo Escobar !

À l'hôtel, Lucien, le coordinateur du tour operator et le directeur de l'hôtel me reçoivent pour me « remercier ». Je m'attendais à une rupture du contrat à cause du shit, mais pas à être traitée comme un chien. Non seulement ils me virent, mais ils me demandent de rendre les clefs de l'appartement et se sont servis sur mon salaire pour rembourser une partie de la somme prélevée sur les cartes de crédit et payer mon billet de retour.

Je ne me sens pas le droit de la ramener à cause du tort que je leur ai causé avec le shit. Je préfère me taire et encaisser. J'ai l'habitude de morfler et d'être prise pour une caillera. J'ai l'habitude des injustices. L'histoire se répète une fois de plus. Cela me rappelle le procès. J'étais victime et j'ai été traitée comme une coupable. À quoi servirait de me défendre, leur idée sur moi est déjà faite. Je me retrouve seule en galère, à Chypre, sans un sou et sans toit. Je suis écœurée et désespérée.

Heureusement, Erwin, un client de l'hôtel, avec qui j'ai fumé deux, trois pétards et pris une bonne cuite, est décidé à m'aider. Il me propose de me faire dormir dans sa chambre, en cachette de ses parents. Je n'y suis pas depuis une demi-heure que le directeur m'expulse de la chambre et m'interdit l'accès de l'hôtel. Je me sens profondément humiliée d'être traitée ainsi. Ils ont tous oublié le bon boulot que j'ai fait pendant cinq mois. Un senti ment très fort d'injustice m'étreint. Je me retrouve à dormir sur la plage. Erwin sort des couvertures de l'hôtel pour que je n'aie pas trop froid. Il m'apporte aussi à manger. J'ai peur de dormir sur la plage. Je n'ai pas oublié l'Algérie et son cauche-mar. Je me force à ne pas dormir malgré ma fati-gue. Je passe mes nuits à prier Dieu pour qu'il me vienne en aide et qu'il ne m'arrive rien sur la plage.

Erwin me prête des sous pour que j'appelle ma mère. Elle travaille en Grèce et ce n'est pas facile de la joindre avec les barrières de la langue et les problèmes d'horaires. J'y parviens au bout de quelques jours. Ma mère met le paquet. Elle appelle Sabrina à Paris et lui fait un souk par téléphone. Puis, ayant obtenu le numéro de la coordinatrice du tour, elle réitère son souk. Il y en a pour tout le monde ! Elle leur fait la morale en leur disant qu'il n'est pas admissible de traiter les gens de cette manière. Elle a aussi la bonne idée de leur rappeler que je suis épileptique et que leur responsabilité est sacrément engagée. Ma mère a raté sa vocation, elle aurait pu être une excellente avocate !

Le soir même, je réintègre l'appartement et le lendemain, j'ai mon billet d'avion pour Paris qui m'attend à l'aéroport de Larnaca. Ils me rendent aussi mon passeport qu'ils m'avaient confisqué. Ils se sont bien servis sur mon salaire, je suis dégoûtée. Ils me laissent cinq cents francs pour mon taxi à Paris. Quel luxe ! De plus, ils me font comprendre qu'à mon retour à Paris, je devrai rembourser le reste. Je suis dans la merde et ça les fait jouir de m'écraser encore plus !

Je rentre en état de choc, complètement vidée, anéantie par cette affaire révoltante. Pendant quinze jours, je ne sors pas de chez moi. Je suis complètement abattue, mortifiée, ulcérée qu'on m'ait prise pour une voleuse, qu'on m'ait traitée plus bas que terre, qu'on n'ait pas eu la moindre reconnaissance pour la qualité de mon travail. Je connais aussi les conséquences de tout cela : fini pour moi l'animation, je suis grillée.

En même temps, je réalise aujourd'hui que j'ai accepté là-bas des choses inadmissibles. Je me suis conduite comme une coupable. Comment ai-je pu supporter d'être virée de l'hôtel comme une malpropre, jetée à la rue sans abri, mon argent et mon passeport confisqués? Pourquoi ne me suis-je pas battue pour clamer mon innocence? De quoi étais-je coupable? D'avoir eu en ma possession une crotte de bique de shit. C'est tout. Je me suis conduite comme un chien galeux qui accepte les coups de pied au cul, sans doute parce qu'il n'a jamais rien reçu d'autre et qu'il croit qu'il les mérite.

Cet échec est une déception énorme pour moi. J'étais faite pour ce métier, je m'y sentais comme un poisson dans l'eau. J'avais enfin trouvé ma voie, j'étais heureuse et appréciée... Pour une histoire de mauvais endroit et de mauvais moment, tous mes espoirs sont brisés et ma vie s'écroule encore une fois.

20

Insaf, Barry...

Ça y est, je touche le fond. Pendant toutes ces années, j'ai réussi à garder la tête hors de l'eau. J'ai nagé contre bien des courants, certes, mais j'ai surnagé. J'ai essayé de toutes mes forces, avec toute mon âme de ne pas me noyer. Je me suis accrochée aux récifs que comptait cet océan noir qu'a été ma vie. Aujourd'hui, le naufrage est là. Je n'ai plus envie de me débattre pour survivre. Je n'ai qu'un désir, me laisser couler à pic.

Je me laisse aller à mes larmes. Ma souffrance est omniprésente, je ne parviens plus à la contenir. Elle déborde, elle dégouline, elle éclabousse tout ce qui m'entoure.

Je ne sors plus, je ne mange plus, je ne dors plus. Je ne veux plus faire l'effort de sourire, de paraître, de surmonter, je l'ai trop fait. Je ne veux plus faire l'effort de faire des efforts. Je ne veux plus entendre ce mot : avancer. Il m'épuise. Qu'on ne prononce plus devant moi « Assedic, Sécurité sociale, recherche d'emploi, loyer », ou je sors un flingue. Qu'on ne me parle pas non plus de « mon comportement », je connais déjà tout ça par cœur.

Je m'enferme chez moi pour me tuer à petit feu. De pétards que je consume à la chaîne, jusqu'à ce que ma langue s'use à force de coller les feuilles, jusqu'à ce que mes doigts s'effritent à force de les rouler, jusqu'à ce que mes poumons gorgés de fumée s'épuisent. L'extérieur me terrorise, je n'y ai pas ma place et m'y sens si fragile. Tout m'agresse.

Je rumine sans fin ma vie ratée et je n'y comprends rien. Je ressasse toutes ces années, je m'en repasse le film et je ne pige pas. Tout se cogne dans ma tête et je frise la folie. Je suis dans la confusion la plus totale. Je ne perçois que mon impuissance et l'extrême cruauté des humains et de la vie.

Ma mère, pleine de bonne volonté, me saoule à mort avec ses paperasses administratives et ses envies de me voir bouger. Elle ne voit pas que je suis au bout du rouleau. Elle ne comprend pas que je ne parvienne pas à oublier et que je répète toujours les mêmes choses. Elle continue de ne pas reconnaître ce que j'ai enduré, pourtant, je ne réclame que cela : une prise en compte, une reconnaissance. Elle continue à faire comme si rien ne s'était passé et cela me met hors de moi. Elle prend en pleine figure toute ma rage contenue, mes insultes, mes cris, mes larmes. J'ai besoin d'elle mais je la hais de ne pas me comprendre et je la fuis.

Une seule personne m'écoute et regarde ma souffrance en face, c'est Insaf, la sœur de Lyes. Depuis le soir où, emportée par ma confiance en elle, je lui ai raconté ma vie, elle est devenue mon soutien le plus précieux. Tout de suite, j'ai vu sa tristesse et senti sa compassion. « Putain, moi, j'ai une petite vie tranquille, je suis dans mes bouquins et pendant ce temps, il y a des filles comme toi qui vivent l'enfer ! Tu vois, Sam, je ne voyais pas ce côté des cités. Je me rends compte qu'avec mes frères, je suis très protégée. J'ai beaucoup de chance. Je suis si triste de tout ce qui t'est arrivé ! Je suis dégoûtée grave ! »

C'est vrai que bien que nous ayons le même âge et la même culture, nos parcours sont totalement différents. Insaf apprend la vie dans les livres, je l'ai apprise dans la rue. Insaf, c'est mon amie, mon havre de paix, ma confidente, mon soutien. Elle est celle qui me donne la force de vivre, celle pour qui j'ai envie de sortir la tête hors de l'eau, celle par qui je deviens meilleure.

Après la terrible déception de Chypre, elle est présente à mes côtés tous les soirs à son retour de la fac. Elle assiste à ma lente destruction, mais pas un jour elle ne cesse de croire en moi. Chaque jour, je lui offre un café et mes larmes. J'aimerais

tellement lui donner un sourire. J'en suis incapable pour le moment. Je ne parviens pas à surmonter ce dernier coup du sort. J'en veux à la vie
et à Dieu d'être si cruels. Je leur en veux de ne
pas écouter mes prières et de ne pas récompenser
mes efforts pour m'en sortir. Vais-je donc payer
toute ma vie d'être passée par ce chemin, ce soir
de flambe avec mes Weston toutes neuves ?

Cela fait neuf ans que je paie le prix fort.
Cela fait neuf ans que j'essaie vainement de
reconstruire ce qui a été détruit : ma vie, mon
être. Cela fait neuf ans que je ne cesse de crever
de souffrance. Cela fait neuf ans et c'est hier :
c'est toujours aussi à vif en moi.

K. a fini de payer, lui. Il est libre depuis déjà
trois ans. Il a « payé sa dette » envers la société.
Moi, je paie toujours. Voilà la justice telle que je
la subis. On m'a tout pris : mon insouciance, ma
joie de vivre, mon humanité. Il ne me reste que
des larmes et des pensées morbides pour accompagner chaque instant de ma vie.

Depuis mon retour, je n'ai pas de nouvelles de
Lyes, Insaf non plus. La dernière fois que je l'ai
vu, c'était lorsque je suis venue à Paris chercher
du shit. Il était à chercher comme un fou un
moyen de se faire de l'oseille. Il m'avait vague-
ment parlé d'un projet de voyage au Maroc qu'il
faisait pour quelqu'un et qui lui rapporterait un
petit pactole. Faut pas me la faire ! J'ai tout de

suite compris qu'il s'agissait de chocolat, de chichon si vous préférez !

Je n'avais pas de nouvelles, parce qu'il s'était fait prendre et qu'il était en prison en Espagne. Insaf vient de me l'apprendre. C'est un choc pour moi malgré la distance qui s'était installée entre nous. Insaf m'accompagne maintenant dans les larmes. J'envoie une lettre, puis deux à Lyes. Sans réponse. Un jour, folle de joie, j'ouvre sa première lettre. Lyes m'annonce que c'est fini entre nous, qu'il a une nouvelle copine depuis six mois et qu'il ne veut plus que je lui écrive. Elle l'a ramassé à la petite cuiller, dit-il, et va maintenant s'occuper de lui. Il l'aime. J'explose. Tout se casse autour de moi. Je ne croyais pas l'aimer encore si fort. J'ai mal, tout mon corps souffre. Ma tête bouillonne de questions jour et nuit.

Je saisis cette occasion pour me détruire encore plus. Et je passe mes journées dans la fumée et dans les larmes. Je pensais vraiment que nous deux c'était pour la vie, même si on s'engueule, même si on se sépare, même si, même si... Nous deux c'était pour la vie ! Insaf assure sur tous les tableaux. Elle étudie à la fac, fait des démarches administratives pour son frère, console sa famille et trouve toujours du temps à me consacrer. Insaf est un ange. Quand elle vient, nous nous installons dans mon salon, nous mettons *My Life* de Mary J. Blige et nous pleurons, unies dans la douleur. Elle pleure pour son frère et je pleure sur ma vie.

L'hiver est passé. Avec le soleil qui réapparaît un peu de pêche me revient. Ma mère qui continue de me tanner pour me faire bouger obtient gain de cause. Je trouve un job d'animatrice en restaurant scolaire entre midi et treize heures trente. C'est tout ce que je peux assurer. J'aime être avec les gamins, mais je dois trouver la force de remettre mon masque et c'est dur. On ne triche pas avec les enfants. J'essaie de payer mes dettes avec mon petit salaire. Cela fait six mois que je n'ai pas payé mon loyer. Je vais devoir quitter les lieux avant que la somme n'augmente. Je n'ai pas d'autre choix que de retourner chez mes parents.

À la maison, l'ambiance n'est plus la même. Ma mère a décidé de changer de vie. Après quarante ans de vie de merde, lasse des souffrances et des frustrations personnelles, épuisée par la tyrannie de mon père et les boulots inintéressants, elle s'est enfin réveillée. Ras le bol du tsoin-tsoin éternel, des sprints entre le boulot, les courses, les mômes à déposer à la crèche ou à l'école, une Sam en galère, bref, tout à assumer seule. Ras le bol de voir défiler son existence sans en profiter. Elle entame un virage à trois cent soixante degrés et elle plaque tout. Sauf le père, qui n'est pas prêt à lâcher la poule aux œufs d'or ! Elle veut une vie qui corresponde à ses aspirations et à son être réel. Après s'être offert un voyage en Grèce, elle a le coup de foudre pour le pays et décide d'y travailler. Pour pouvoir s'y débrouiller, elle prend des cours d'anglais et d'italien, le grec étant assez difficilement maîtrisable. C'est un véritable challenge pour une femme qu'on a obligée à tenir la maison, au lieu d'aller à l'école. Elle travaille l'été comme saisonnière en Grèce avec les touristes. Elle part six mois par an. L'hiver, elle le passe à Paris. Mon père est au chomdu depuis bientôt dix ans. Il n'a plus d'ambition, pas de projet, envie de rien. Il s'occupe de ma petite sœur quand ma mère est absente. Il lui prépare ses repas, l'attend à la sortie de l'école avec un petit pain au chocolat, l'aide à faire ses devoirs et joue aux cartes avec elle. La vie n'est décidément plus la même ici ! Mon autre sœur est en cure depuis plusieurs années et ne rentre que pour les vacances. J'arrive avec mon barda, troubler leur petite vie pépère. J'ai mal aux tripes de revenir ici, mais je n'ai pas le choix.

Depuis la Grèce, ma mère me taraude encore, elle est tenace ! Alors je cherche, et je trouve. Un boulot d'animatrice dans un centre de loisirs pour le mois d'août. Pendant ma dernière semaine, mon bras se met à enfler. Je ne m'en inquiète pas trop, au début : je mets cela sur le compte des chahuts avec les enfants. Une semaine plus tard, je ne peux plus le bouger. Je vais en urgence chez le toubib, le diagnostic n'est pas encourageant : phlébite du bras gauche, avec embolie pulmonaire évitée de justesse. Je dois être hospitalisée et personne n'est là pour m'accompagner à l'hôpital. Mon père et mes sœurs sont partis rejoindre ma mère en Grèce. Mon cas étonne les médecins, la phlébite est d'habitude une maladie de personnes âgées. Je pense, pour ma part, que je paie les conséquences de ma vie de merde. Abus de shit et d'alcool, crises d'épilepsie, violences et souffrances, déceptions et stress. J'ai l'impression que mon corps est pourri de l'intérieur.

Je suis très amère. Chaque fois que j'essaie de m'en sortir, le sort me fout une baffe dans la gueule ! Je suis fatiguée de cette vie de chien, de cette lutte qui m'épuise et se termine toujours par des échecs. À ma sortie de l'hôpital, les médecins me donnent un traitement et me conseillent d'arrêter de fumer. Ils préconisent aussi une opération des artères pour éviter le risque d'une nouvelle phlébite. Je veux bien suivre mon traitement mais arrêter de fumer, non ! C'est au-dessus de mes forces. C'est le shit qui me permet de mettre mon masque au quotidien. Si j'arrête de fumer, j'explose de partout et j'éclabousse tout le monde de haine. Si j'arrête de fumer, je suis dangereuse et incontrôlable, je le sais. Même à l'hôpital, avec l'héparine dans le bras, je descendais fumer mon pétard...

En sortant de l'hôpital, j'ai l'impression d'être une auto-tamponneuse à la foire du trône, une auto qui a perdu le contrôle et qui percute tout ce qui se trouve sur son chemin. Je ne contrôle plus rien, ni mes états d'âme, ni ma dépendance. Je ne perçois distinctement que ma haine. Je la sens qui m'obstrue la gorge et le ventre. C'est mon désespoir et ma rage de ne pas être comprise qui restent coincés dans mon corps. On me demande d'avancer, de ne pas tenir compte de ce qui m'est arrivé, mais bordel! Ma vie a été saccagée! Je suis morte à l'intérieur, comment puis-je ne pas en tenir compte?

Le silence établi de mes parents me laisse dans le désarroi le plus total. Comment peuvent-ils faire abstraction de la réalité? Pourquoi faudrait-il taire ce que j'ai vécu? Ils se conduisent comme si j'étais fautive. Je ne suis pas coupable, je suis victime. Leur incompréhension me pousse à poursuivre ma déchéance. Pour avancer, j'avance... mais dans ma destruction, de jour en jour, de mois en mois, d'année en année.

Je fais une dernière tentative de formation. Je postule pour un stage de hip hop jazz avec un chorégraphe américain. Pour la sélection, nous devons danser librement. Il passe entre nous pour faire son choix. Je reste bloquée, incapable de lui montrer ce que j'ai dans le ventre. Il me remercie gentiment. Je ne m'avoue pas vaincue, je reviens l'après-midi pour la deuxième sélection. Je ne veux pas laisser passer la chance de faire ce que j'aime tant : danser. Quand je danse, j'oublie tout, et j'en ai tant besoin. Cette fois-ci, je lui fais Liza Minnelli dans *New York-New York*, le numéro que je faisais au club à Chypre. Il kiffe direct.

Le stage se passe à la MJC de Saint-Denis. Le matin, nous nous échauffons, nous travaillons la souplesse. L'après-midi, nous préparons les chorégraphies du spectacle que nous présenterons dans six mois, dans une salle de Vincennes. Encore une fois, je m'accroche, mais c'est difficile. Me retrouver devant ce miroir immense m'agresse. Je n'arrive pas à regarder mon corps bouger et s'exprimer. Je me sens mise à nu. Le regard des autres, et même leur contact, me terrifient. J'ai l'impression d'être constamment jugée et agressée. Je vais mal, mais je m'accroche de toutes mes forces. Il faut que je fasse ce spectacle. Ensuite, je me verrais bien passer un diplôme d'État pour animer des ateliers de danse. Je bâtis des projets, je me monte des films.

Depuis le début du stage, je fais trois crises d'épilepsie par jour. Je ne vous dis pas dans quel état est mon corps avec toutes ces agressions que je lui fais subir depuis si longtemps. Pourtant, la sueur que je dégage en dansant me rend plus légère. Le soir quand je me couche, je ressens comme une sérénité à l'intérieur de moi. En vérité, je suis trop déglinguée de partout pour continuer. C'est Barry, le chorégraphe, qui s'en rend compte avant moi. « C'est un crime de te laisser comme ça et de ne rien dire. Il faut que tu te soignes, Sam ! Il faut que tu voies quelqu'un pour tes crises d'épilepsie. Tu as beaucoup de talent, mais il faut régler tes problèmes. *You know what I mean ?* Cela prendra le temps qu'il faudra, mais il faut le faire. OK ? » Il a raison, il faut que j'arrête, il faut que ça s'arrête.

Cela fait des années que je hurle à ma façon mon besoin d'être aidée. Cela fait des années que je galère parce qu'on ne comprend pas mon appel. Barry est la première personne à entendre cet appel et à sentir la détresse qui se cache sous mon personnage. Il a vu Sam qui souffre, bien plus que Sam la racaille, Sam l'artiste ou Sam la violente. J'avais tout de suite kiffé Barry. J'ai aimé son enthousiasme, sa bonne humeur contagieuse, son contact direct et humain. Avec lui, j'ai fait des découvertes inoubliables, la danse africaine par exemple. Nous avons eu la chance de travailler avec Guem, un très grand percussionniste. Tous deux nous ont fait vivre des expériences extraordinaires, comme d'écouter et de ressentir la musique de l'intérieur.

Malheureusement, l'histoire doit s'arrêter là. Toute cette richesse m'est enlevée, une fois encore. J'ai un profond chagrin de rater cette occasion. J'ai honte de ne pas être comme les autres et, surtout, j'ai la haine d'être pénalisée à cause d'un mal qui m'a été fait. Je n'en peux plus de subir, de souffrir et de pleurer. Je n'en peux plus de n'être qu'une plaie ouverte. Barry a raison, personne ne peut m'aider autant que j'en ai besoin. Je dois m'adresser à des professionnels : des médecins et des psychologues. Si je ne me fais pas soigner, je crèverai de folie et de souffrance. Je ne me donne pas plus de dix ans à vivre dans l'état où je suis. OK Barry ! Je vais la prendre en main, ma souffrance ! Je vais la regarder en face et lui niquer sa sale gueule !

21

Thérapie

Le long tunnel s'arrête enfin. J'ai vingt-quatre ans. Putain, je n'ai rien vu passer! Pour la première fois, je fais les comptes. Il s'est passé dix ans depuis ce terrible soir. Je viens de me prendre une décennie de galères, de solitude et de baffes dans la gueule. À cette pensée, un profond sentiment d'impuissance et d'injustice m'étreint. Quel gâchis! Puis-je encore faire quelque chose de ma vie après un tel massacre? Y a-t-il encore une place pour moi dans ce putain de monde?

Avec cette prise de conscience, tout devient clair. C'est comme si la Lune, depuis longtemps cachée par les nuages, réapparaissait soudain et illuminait toute la nuit. Ma vie, mes angoisses me paraissent maintenant surmontables. J'ai mon objectif. Je veux comprendre ma vie et m'en sortir intelligemment. Je chercherai et je trouverai une personne compétente capable de m'aider. Je ne veux plus continuer de remplir ce sac à malheurs qui est de plus en plus lourd. Je ne peux plus le traîner. Merci, Barry, de m'avoir ouvert les yeux !

Je m'adresse à mon médecin traitant. Elle me suit depuis des années. Plusieurs fois, elle m'a envoyée chez des psys. Je ne donnais pas suite, j'étais trop déçue par leur accueil, leur style et leurs commentaires. Avec beaucoup de patience, mon médecin me disait de garder confiance. « Ne t'inquiète pas, Sam, nous allons trouver la bonne personne ! » Un jour, elle reçoit une information concernant la création d'un service spécifique, dans un hôpital, pour aider les personnes ayant subi de graves traumatismes. La consultation est à Aulnay-sous-Bois et est tenue par une psychologue. Je téléphone illico et je prends rendez-vous.

L'hôpital d'Aulnay est sinistre et à l'accueil, on m'envoie en psychiatrie. Ça commence mal. Je ne suis pas dingue ! Dans les couloirs interminables et lugubres, les malades déambulent comme des zombis. J'ai peur de tomber sur un psychiatre encore plus malade que moi, du genre de ceux qui m'ont fait fuir par le passé. Cheveux hirsutes, petites lunettes, mine fatiguée et tics nerveux. J'ai un moment l'envie de me tirer, mais je décide d'aller jusqu'au bout. J'ai bien fait d'insister ! La psy est jeune et jolie. Elle m'accueille gentiment, avec une voix douce, et m'invite à entrer dans son cabinet. À l'intérieur, c'est aussi lumineux que c'est triste à l'extérieur. La déco est simple, sans tralala. Un poster de tennis et de la moquette au sol.

Je m'assieds sur le siège qu'elle me propose et réponds à toutes ses questions, mon sourire accroché à ma face pour masquer mon désarroi. Vient le moment crucial où elle me demande pourquoi je viens. Je ne sais pas par où commencer. C'est si compliqué et si confus dans ma petite tête! Je commence à raconter, puis je déballe tout. Je vomis mon histoire : ça sort en flots incontrôlés, par gros bouillons. Je vide mon énorme réservoir de souffrance et de paroles inexprimées. Je croyais avoir déjà pleuré toutes les larmes de mon corps, mais des torrents jaillissent de mes yeux pendant que je parle. Je pleure et je raconte à n'en plus finir.

Je sens une réelle écoute de la part de la psy et, dans ses grands yeux verts, je lis une neutralité qui m'encourage à me livrer. Ensuite, elle me place devant un des murs blancs de la pièce. Ce mur, dit-elle, représente ma vie à laquelle je dois faire face. « Qu'est-ce que c'est que ce délire ? Le mur, la vie, quelle vie ? Qu'est-ce qu'elle fait là ? Elle me touche la tête ! C'est chelou son truc ! Bon, allez, fais pas ta relou ! Fais ce qu'elle te dit, tu verras après ! » Je suis toute droite, face au mur. Elle se tient derrière moi et me manipule le front avec ses mains fraîches, elle essaie de me basculer progressivement en arrière. Mes yeux sont fermés et je regarde ma vie. Je vois défiler un film à toute vitesse, une série de flashs qui se superposent. Les visages de K., de Jaïd, de Lyes, de mes parents, des images de l'Algérie, le procès raté, etc. Les images défilent tellement vite que je ne parviens à en fixer aucune. Tout à coup, je ressens le besoin de foncer, tête baissée, dans ce mur qu'est ma vie. Tel un taureau, j'essaie de forcer le barrage qu'elle fait avec ses mains sur mon front.

Après une dizaine de minutes, elle me demande ce que je ressens et ce que j'ai pu observer de ce que dégage mon corps au moment des manipulations. Je ressens une chaleur intense, une sorte de bouillonnement interne. Je transpire abondamment, mon tee-shirt est trempé par les efforts que j'ai faits pour foncer dans le mur, mes mains sont toutes chaudes, humides elles aussi. Je suis émerveillée par ce qu'elle me fait découvrir, par tout ce ressenti dans mon corps. Je me sens vivante. Ensuite, elle me fait faire quelques exercices de respiration. Ma poitrine est tellement fermée que le souffle qui passe me fait horriblement souffrir. J'insiste pourtant, car j'ai l'impression que cet air tue la vermine en moi.

Voilà, la consultation est terminée, je dois prendre rendez-vous pour la semaine suivante. « Qu'est-ce que je fais ? Je prends rendez-vous ou pas ? Allez ! Donne-toi encore un mois, il faut voir ce que ça donne! » En sortant, je réfléchis à ce qui vient de se passer. En fait, ça me botte grave! Cela faisait tellement de temps que je rêvais de quelqu'un qui serait capable de soigner mon esprit et mon corps à la fois! Je suis tellement consciente que l'un ne va pas sans l'autre! Je ne sais pas que cela s'appelle de la psychothérapie corporelle, et pourtant c'est l'exigence de mon être tout entier. Bon, nous verrons dans un mois!

Au bout d'un mois, je demande à venir deux fois par semaine en consultation, car j'en ressens un immense besoin. Ce n'est qu'au bout de plusieurs mois que je m'aperçois des dégâts dont je suis victime. Je suis dans un état lamentable. Mon corps est plus dur qu'une pierre et ma tête n'est que brouillard. Je n'ai plus rien d'humain, c'est un petit animal sauvage aux abois qui consulte. Mais c'est un animal sacrément motivé! Les questions se bousculent dans ma tête après chaque séance. Je veux comprendre mon enfance, mon histoire, tout ce qui a fait ma vie avant cette fameuse nuit. Pourquoi ai-je préféré si tôt la rue à la maison? Que fuyais-je chez moi? Pourquoi ai-je eu deux familles, une en France, l'autre en Belgique? Je veux comprendre pourquoi j'ai été séparée de mes parents. Pourquoi mon père est-il allé en prison? Je veux comprendre ces images floues, ces flashs non expliqués, tout ce passé qu'on m'a tu. C'est à découvrir tout cela que je

veux m'atteler pour commencer ma psychothérapie. J'en ressens un besoin impérieux.

Ma démarche dérange ma mère. Elle pense que
je remue la merde avec mes questions sur le passé.
Je ne la juge pas, je sais qu'elle a été seule pour
s'occuper de moi et qu'elle a fait ce qu'elle a pu. Elle
ne comprend pas que ce silence sur mon enfance
m'empêche de grandir. Je pense que rien n'est plus
terrible que de ne pas savoir. En connaissant le
début de mon histoire, je peux mieux en comprendre la suite. Je ne comprends pas sa réaction. Maintenant que je cherche à m'en sortir de
manière intelligente, elle ne m'aide pas plus que
quand je me cognais contre les murs. J'ai le sentiment qu'elle me refuse tout : le droit de souffrir, le
droit de savoir, le droit de m'en sortir. Quant à mon
père, il ne se sent pas concerné. Pour lui je fais mon
intéressante, la psychologie n'est pas son affaire !

Pendant plus de deux ans, je mène une lutte
acharnée pour connaître ce passé tant caché. Je
pêche à droite et à gauche les informations que
ma mère ne veut pas me fournir. Je comprends
que se remémorer ces années de galère la fasse
souffrir, mais moi j'ai besoin de savoir, de comprendre, d'analyser et d'accepter pour pouvoir
me construire. Je préfère avoir cette histoire
difficile que de ne pas en avoir du tout.

Trois ou quatre mois après avoir commencé
ma thérapie, j'ai encore droit à une nouvelle

galère. Je me fais opérer d'un défilé artériel droit et gauche, pour éviter de faire des phlébites à répétition. Je morfle grave pour ces deux opérations. Je chiale de douleur, nuit et jour. La morphine, les cachets pour dormir et même les pétards n'atténuent en rien ma souffrance. Je pleure aussi de rage et de haine d'être sur ce lit d'hôpital. J'aimerais tant être comme les autres de mon âge, vivre comme eux. J'ai l'impression de payer encore et toujours pour quelque chose dont je suis victime, de payer jusqu'au plus profond de ma chair. C'est injuste, trop injuste ! Je ne sais pas où je trouve la force de continuer mon travail d'analyse, sur ce putain de lit d'hôpital ! Mon cerveau est toujours en action. Je ne lâche pas l'affaire. Je veux m'en sortir coûte que coûte !

Après ces deux lourdes opérations, on me prescrit une convalescence de six mois. Je décide de reprendre contact avec ma famille d'accueil en Belgique. Je ne l'ai pas vue depuis les viols, c'est-à-dire depuis plus de dix ans. Je souhaite de tout mon cœur vivre ma convalescence là-bas. En arrivant chez eux, je m'aperçois avec bonheur que j'ai toujours ma place à table et surtout dans leur cœur. Papa Jean et maman Josette, après m'avoir rendue à mes parents, ont adopté trois enfants venant d'Inde. D'abord Toon, un beau garçon très intelligent, et des jumelles, deux charmantes petites coquines. Je suis toujours leur grande sœur et cela me touche profondément.

Malgré la tendresse que je peux recevoir, je ne me sens pas à ma place. Leur petite vie construite, saine et pleine d'affection est si différente de la mienne. En les observant, je prends conscience, une fois encore, du gâchis qu'est ma vie. Je rêve à la jeune fille que je serais devenue si j'étais restée avec eux. Quel gaspillage ! Quel sabotage ! Comme cette pensée est dure à supporter ! C'est comme un coup de poing à l'estomac qui m'empêche de respirer. Durant ces six mois, l'affection que je reçois m'aide à me remettre sur pied et me donne la force dont j'ai besoin pour continuer mon travail d'analyse. Je veux moi aussi construire un bonheur autour de moi.

C'est ici, en Belgique, que l'idée me vient d'écrire un livre. J'aimerais laisser une trace de mon histoire si incroyable pour qu'elle puisse servir à d'autres filles. Je voudrais tant prévenir les petites minettes qui grandissent dans nos cités. Je voudrais faire un livre pour que tout cela ne me soit pas arrivé pour rien. Je voudrais dire à celles qui ont subi ce que j'ai subi qu'il y a toujours un espoir de s'en sortir. Je veux m'en sortir et je m'en sortirai ! J'en suis sûre. Pendant ce séjour, j'essaye de garder ma motivation. Je continue mon analyse toute seule, par l'écriture. Je ne veux pas perdre de temps. J'ai déjà perdu dix ans de ma vie. J'essaye de mettre au clair le début de ma vie. Ma souffrance est tellement grande que mes pensées sont très confuses mais ce n'est pas grave, l'important est d'écrire et de vider mon sac.

Depuis ma rencontre avec Fanny, ma psy, mon seul but est de m'en sortir. Ma motivation l'étonne au plus haut point, car cette attitude n'est pas courante chez ses patients. Je veux laver, nettoyer, vider tout ce qu'il y a en moi. Je sens que j'ai choisi la bonne route et surtout la bonne personne. J'admire la compétence de Fanny. J'imagine le travail qu'elle a fait pour arriver à cette qualité d'écoute et de réponse. Elle est un guide intelligent et patient, et ses interventions ont sur moi quelque chose de magique. Car enfin, je ne suis pas une patiente facile. Je suis arrivée chez elle dans un état lamentable et je vois tous les jours le chemin parcouru. Il est vrai que je participe, que je donne de moi-même, que je fais confiance et que ma motivation à toute épreuve doit l'aider.

Fanny a tout de suite compris que mon corps avait besoin de parler le premier. Elle a compris que la parole ne me soulagerait pas dans un premier temps mais risquait, au contraire, d'amplifier ma révolte. Elle a choisi de travailler avec ce corps plein de souffrances accumulées depuis si longtemps. Ce corps disloqué, éclaté qu'il était urgent de soulager. Je ne parvenais plus à me tenir droite tant le poids de la vie sur mon dos était devenu insupportable. C'était comme une carapace de fer brûlant qui m'alourdissait à chaque pas. Et puis, il y avait cette boule, ce magma brûlant, mugissant comme un moteur dans mon ventre. Cette boule m'empêchait de dormir, de rire, de vivre. Je la sentais remonter dans ma poitrine, jusqu'à ma gorge qu'elle enserrait dans un étau, empêchant mes hurlements de sortir.

Dès les premières consultations, mon corps a répondu. Il s'est d'abord vidé complètement par des vomissements et des selles intenses. Ces phénomènes ont duré plus d'un mois puis se sont manifestés de nouveau, lors des étapes particulièrement difficiles de mon évolution. Ensuite, le bas de mon dos a commencé à se réveiller, par des tiraillements qui partaient de la colonne vertébrale. Fanny m'a expliqué que chaque partie du dos représente une partie de ma vie. Le bas du dos étant l'enfance, le milieu du dos, l'adolescence et le haut du dos, la vie de tous les jours. Au fur et à mesure que je réfléchis à mon histoire, je sens mon dos se délier, se relâcher sous forme de petits tiraillements, parfois douloureux. J'accepte ces douleurs de bon cœur car je sais que j'y gagne de la liberté. Fanny m'a aidée à dégager tout ce qui était lié à ma boule de chagrin et je sens que je me débarrasse, petit à petit, de ce marasme dans lequel je baignais.

Au début, le bienfait de ces exercices durait à peine une heure, puis ils ont persisté deux jours. Maintenant, ils peuvent durer une semaine ou plus. Avec elle, j'apprends à poser mon esprit, à avoir une vraie réflexion, car mon cerveau est un volcan en éruption permanente. Avec elle, j'apprends à analyser mon stress et ma souffrance. J'aime aussi qu'elle me parle, qu'elle m'explique la vie. Face à elle, je laisse mes larmes couler et ces larmes me rendent chaque jour plus humaine. Je fonce comme un taureau dans la compréhension de mon histoire, je ne vis que pour cela.

Cette introspection douloureuse est une découverte. Je m'émerveille de tout ce qui peut resurgir. Je remonte dans le temps. Je fouille dans ma mémoire pour rechercher les images et les sensations de ma petite enfance, enregistrées puis refoulées dans des coins retirés de mon inconscient. Je découvre que chaque souvenir vécu laisse une empreinte indélébile dans la mémoire de notre corps et dans notre histoire. Je laisse toutes les émotions envahir ma tête et mon corps, puis je les secoue jusqu'à ce qu'elles deviennent compréhension d'abord, puis mots libérés de leur prison, propulsés dans l'air.

Je prends lentement conscience que je ne suis pas responsable de l'atmosphère pourrie dans laquelle j'ai grandi. J'avais longtemps cru que mes bêtises, mon comportement agressif et mon calvaire en étaient les principales causes. Je m'aperçois qu'ils ne sont qu'une réponse aux violences qui déjà m'avaient été faites. Je me souviens des coups, des crachats, des insultes, du mépris, qui furent les seuls modes de relation que mon père a eus avec moi. Des souvenirs insupportables de mon père, j'en ai à la pelle. Je le revois, par exemple, me poursuivant soûl avec un couteau de boucher. Cela ne s'oublie pas.

Je comprends aussi que ma mère a été une victime qui s'ignorait. Qu'elle a été dans l'incapacité totale de dire « stop » aux excès de mon père. Elle ne pouvait que subir ou fuir. Subir, elle y avait été préparée depuis son plus jeune âge. Fuir était déjà plus un choix qu'elle a réalisé en faisant ses saisons en Grèce. Je m'aperçois que non seulement ma violence n'était pas la cause de l'ambiance qui régnait à la maison mais aussi qu'elle avait complètement son sens. J'avais raison de me bagarrer, j'avais raison de m'insurger contre cette « éducation », cette psychologie, cette façon de vivre. Pourquoi aurais-je dû accepter sans broncher que mes parents me fassent supporter leurs conneries de jeunesse, la prison de mon père, mon séjour en Belgique ? Pourquoi aurais-je dû me résigner aux coups de mon père et aux exigences excessives de ma mère concernant le ménage et la garde de mes petites sœurs ? J'ai porté mon fardeau, mais ils m'ont fait aussi porter le leur. Parce que leur souffrance était trop lourde, ils l'ont occultée. Pour cela, il leur a fallu m'occulter aussi. J'étais particulièrement sensible, et leur souffrance non reconnue, je l'ai prise à leur place. Ils n'ont rien compris et ont passé leur temps à essayer de me faire taire. Par la même occasion, ils se sont employés à faire taire aussi en moi tout ce qui était vivant et sain. Ma gentillesse, ma spontanéité, ma joie de vivre. Tout ce que j'avais subi de violence et de déni remontait à la surface. La confrontation quotidienne avec mes parents n'était pas facile lorsque je rentrais des consultations, avec toutes ces prises de conscience.

22

Ça se discute... pas

Comme à son habitude, ma mère persiste à vouloir me faire bosser. Elle ne comprend pas l'intérêt et l'importance de ma démarche avec Fanny, ni l'état de fatigue dans lequel ce travail met mon corps et mon esprit. Je ne me sens pas encore prête à affronter une vie sociale. Je me connais, je sais à quel point mon comportement peut me mettre en échec. Je souffre déjà de me construire sans repère, sans soutien, sans pouvoir le moins du monde discuter de mes efforts. Il me faut beaucoup de temps pour comprendre que je n'obtiendrai aucune aide de la part de mes parents et je me sens dans une grande solitude morale.

Pour faire plaisir à ma mère, je retrouve une place d'animatrice dans un centre de loisirs à La Plaine-Saint-Denis, quartier assez difficile aux conditions de vie très précaires. Malgré la misère, il existe dans ce quartier une grande solidarité. Les gamins avec lesquels je travaille sont tout petits. Ils sont adorables mais ce sont déjà de vrais diables. J'aime ces gosses et je m'éclate dans mon travail, mais je rencontre de gros problèmes relationnels avec l'équipe éducative. Le volcan en moi n'est pas éteint et j'explose pour un rien. Je me sens sans cesse agressée. Je vois encore en chaque personne un ennemi potentiel, quelqu'un susceptible de me faire du mal. Pour dissimuler ma peur, je sors ma grande gueule et ce n'est pas apprécié par les autres animateurs, ni par la responsable, qui m'en fait voir de toutes les couleurs.

Je ne tiens pas un discours d'animateur, je ne structure pas très bien mes activités, mais je travaille bien. Ma responsable cherche cependant la petite bête sur ces défauts professionnels pendant des mois. Elle joue avec mes nerfs jusqu'à ce que je démissionne, dégoûtée. Encore une déception pour moi. Je commence à me demander si je suis à ma place dans l'animation et dans la société en général. C'est l'occasion pour moi de dire clairement à ma mère que je ne reprendrai un travail que lorsque je m'en sentirai capable moralement. J'apprends à lui dire non. Je veux mener mon travail avec Fanny à mon rythme. Je ne peux pas combattre sur plusieurs fronts à la fois. Je ne veux plus, non plus, me remettre en situation d'échec.

Quelques mois après mes opérations, ma mère décide d'entamer une action en justice pour obtenir une réparation financière. Comme je n'ai pas pu aller au procès, elle pense qu'une indemnité m'aiderait peut-être à reconstruire ma vie. Pour cela, elle s'adresse au service d'aide aux victimes de Pontoise, où le jugement a eu lieu. C'est sans doute sa manière à elle de se déculpabiliser en faisant maintenant ce qu'elle n'a pas fait dix ans plus tôt. Je lui suis cependant reconnaissante de ce geste envers moi, mon père n'en a jamais eu de pareils.

Il n'y a pas grand espoir d'obtenir satisfaction car il y a prescription depuis longtemps. J'avais deux mois, après le jugement, pour faire cette démarche. Mais rien n'arrête ma mère. Elle est bourrée d'ambiguïtés, certes, mais elle est tenace. Moi, ça me gonfle de prendre contact avec une avocate, de constituer encore un dossier avec toutes les ordonnances, les analyses : EEG, scanners pour les crises d'épilepsie, internement en psychiatrie et années de galère. Par la force des choses, ma mère parvient quand même à m'impliquer dans cette histoire, mais je refuse catégoriquement d'aller à Pontoise. Cette ville me rappelle trop de mauvais souvenirs. Je n'y viendrai que le jour de l'audience, c'est tout ce que je peux faire. Comme je n'ai pas les moyens de me payer un avocat, je fais une demande d'aide juridique. On m'octroie une avocate de Pontoise C'est donc ma mère qui se déplace et discute avec l'avocate. Je lui écris une lettre pour lui dire que je souhaite vivement être présente à l'audience, en lui en donnant les raisons. J'ajoute que c'est le seul endroit qui me reste pour parler de mon calvaire devant la justice.

Après des mois d'attente, j'apprends que je suis déboutée de ma demande : elle vient trop tard. Je ne suis pas très surprise, je m'y attendais. Ma mère est absente quand je reçois la nouvelle, elle fait sa saison en Grèce. Je me rends donc chez cette avocate pour récupérer les pièces jointes à mon dossier. Elle m'explique que, « bien évidemment, comme elle s'en doutait », la demande n'a pas été acceptée. J'interprète illico qu'elle avait un *a priori* et qu'elle n'a pas donné le meilleur d'elle-même. Son attitude me met la pression. Sans grande conviction, elle me suggère de faire une dernière tentative à la cour d'appel de Versailles.

« Eh bien, c'est ce que je vais faire, puisque c'est ma dernière chance ! » Son dédain m'a foutu les glandes, il fallait que je lui réponde.

« Vous n'êtes pas gênée ! me dit-elle. C'est l'argent de l'État que vous gaspillez !

— Ah ouais ? C'est vous qui gaspillez l'argent de l'État à faire n'importe quoi ! Bon, vas-y, c'est fini les manières ! Rends-moi mon dossier, que je me casse de là ! »

Quand je me mets à tutoyer, c'est que les nerfs montent. C'est le signal qu'il faut que je me tire avant de péter les plombs. Elle me regarde partir comme si j'étais une extraterrestre. Je me demande qui est la plus extraterrestre de nous deux. Dans le genre inhumain, elle est fortiche, la meuf! Franchement, j'ai vraiment la poisse avec les avocates. C'est la deuxième qui se fout de ma gueule! Pour avoir fait ce style de réflexion, j'imagine qu'elle n'a pas dû plaider correctement mon dossier. Je ne suis pas un cas intéressant pour elle. Elle doit être très peu payée pour me défendre puisque je bénéficie de l'assistance juridique. Mais est-ce une raison pour me traiter ainsi?

Pour moi, c'est vraiment une justice à deux vitesses. Je suis pénalisée parce que je n'ai pas d'argent. Inutile de parler de ma déception et de la haine qui peut m'habiter. Je n'étais pas très motivée par cette démarche, maintenant, je le suis et j'irai jusqu'au bout. Le comportement de cette avocate, sa façon de parler, de se tenir et de me considérer m'ont franchement mis les nerfs. Elle croit qu'elle va me la faire à l'envers! Quand je pense qu'elle n'a même pas cherché à me connaître, à comprendre mon histoire, et qu'elle n'a tenu aucun compte de ma requête : venir à l'audience!

C'est l'été. Je viens de passer le mois de juillet au centre de loisirs avec les gamins et les vacances approchent. Cela fait dix ans que je n'ai pas pris de vacances. Ma mère me propose de venir la rejoindre en Grèce, à Mykonos, avec ma petite sœur. Je ne sais plus ce que sont des vacances et je n'arrive pas à apprécier la beauté de l'île. Pourtant, Mykonos est une île superbe. Ses couchers de soleil sont à couper le souffle, ses petites ruelles et ses maisons blanches me rappellent la casbah d'Alger, à l'époque de sa splendeur. Voir des gens heureux me fait mal, je me sens en décalage avec tout ce qui m'entoure. Je ne peux pas rire et être insouciante quand tout est encore noir en moi. Je suis encore dans ma bulle de souffrance et elle m'empêche de profiter de ce qui se présente à moi. Je me plonge dans la lecture. *L'Alchimiste* de Paulo Coelho est une révélation pour moi. Je comprends que je dois accomplir, moi aussi, ma légende personnelle. Je suis comme le berger qui, pour atteindre son trésor, passe par de multiples galères. Moi aussi, j'ai suivi des chemins tortueux, traversé des mers profondes où j'ai failli me noyer. Le trésor que je veux atteindre, c'est la vie. La vraie vie. C'est mon chemin, mon destin, ma légende personnelle. Merci Paulo !

Parmi ses clients, ma mère a un avocat parisien qui passe chaque année ses vacances à Mykonos, avec sa famille. C'est un avocat d'affaires, il ne s'occupe pas de droit pénal. De retour à Paris, elle le contacte et lui explique mon cas. Très gentiment, il lui propose de jeter un coup d'œil sur le dossier mais ne promet rien. Sa démarche me touche beaucoup : il veut me rencontrer pour discuter. Lors de l'entretien, il m'explique que mon dossier n'est pas facile car il y a prescription, mais qu'il fait des recherches. « Écoute, on a une chance sur un million, mais on a une chance et j'accepte de la saisir. Nous allons aller jusqu'au bout, tu es d'accord ? Si ça ne marche pas, nous irons à la Cour européenne des droits de l'homme ! »

Enfin ! Quelqu'un qui prend mon histoire au sérieux ! Son optimisme et son soutien m'aident à croire au procès. Pendant l'entretien, je l'observe beaucoup. Je sens que je peux lui faire confiance. C'est un homme réglo, attentif à tout ce que je dis, calme et énergique. C'est quelqu'un qui a la classe de chez classe. « Mais pour cela, il faut constituer un dossier en béton et faire démontrer par un expert pourquoi tu n'as pas fait cette démarche à l'époque. Nous allons essayer d'expliquer que tu n'étais pas du tout en état de le faire et que tu ne savais pas que l'aide aux victimes existait, d'accord ? Tu vas rencontrer une bonne amie à moi, une psychothérapeute très renommée, elle sait comment constituer un dossier car elle a l'habitude de travailler avec la justice. »

Cet avocat a parfaitement compris la situation dans laquelle je me trouve. Il a compris ma détresse. Il a compris aussi que j'avais perdu toute confiance en la justice. Il me propose de venir le voir souvent. Il veut mieux me connaître pour pouvoir mieux me défendre. Il m'appelle ou m'envoie un courrier pour m'expliquer chacune de ses démarches. Il ne veut pas me trahir et je suis très touchée par l'attention fine et permanente qu'il a pour moi. Question tunes, il m'a dit qu'on verrait plus tard, quand je gagnerai le procès.

Je continue à voir Fanny. Cela fait maintenant trois ans que nous avons commencé à travailler ensemble. Ma reconstruction est longue et douloureuse. Cependant, je sens des changements s'opérer en moi. Je fais quinze pas en arrière, puis vingt pas en avant. Mais au bout du compte, j'avance. Fanny est un soutien énorme pour moi. J'apprends à canaliser ma violence, à gérer mes conflits, à avoir une véritable réflexion au lieu de réagir toujours avec mes tripes ou avec mon cœur. J'apprends à devenir une vraie personne humaine dans mes relations professionnelles et familiales. Je me sens plus forte, plus sage. C'est mon moi intérieur qui se construit pas à pas. Je veux aller le plus loin possible dans la compréhension de mon histoire et faire naître, enfin, celle qui se cache depuis tant d'années.

Fanny ne me soigne qu'avec des gestes et des paroles, jamais un médicament. Depuis que j'ai commencé le travail avec elle, je ne fais plus de crises d'épilepsie. Je n'en ai plus besoin, je suis enfin écoutée dans ma souffrance. Je n'ai pas encore lâché le pétard, mais j'y pense. Cela fait partie de mes projets. Fanny me soutient dans ma démarche avec la justice, mais elle me met en garde. Elle ne croit pas du tout à ma réhabilitation par l'argent. Je ne comprends pas tout de suite son point de vue et ce premier désaccord me contrarie. Néanmoins, elle continue de m'épauler, y compris dans cette démarche.

La psychothérapeute chez laquelle l'avocat m'envoie, son amie, est tout bonnement la psy que je suis allée consulter avec ma mère. Celle dont la consultation était trop chère. Il n'y a pas de hasard ! J'ai le sentiment que la chance, enfin, commence à me sourire. Au premier rendez-vous, elle se souvient parfaitement de moi, de mes yeux bleus, de mon histoire aussi. Elle désire me voir plusieurs fois, pour bien comprendre mon histoire et décrire mes réactions successives face à ce déluge de coups de poing dans la gueule. Il faut aussi établir un rapport qui explique pourquoi je n'ai pas fait cette démarche à l'époque.

Ça me soûle de faire tout cela. Raconter, raconter pourquoi, comment, quand... J'ai le sentiment d'avoir à me justifier de quelque chose dont j'ai été victime. J'ai l'impression de faire l'aumône. Ma mère croit que l'argent va m'aider à repartir sur de nouvelles bases. Je voudrais y croire, mais je garde au fond de moi la mise en garde de Fanny. J'essaie de comprendre ce qu'elle a voulu dire. Mon besoin de reconnaissance et ma soif de justice sont toutefois les plus forts et je fonce tête baissée dans cette démarche.

J'ai vingt-cinq ans. C'est encore une année lourde en émotions. Je ne compte plus les fois où j'ai voulu tout arrêter, tout plaquer pour m'enfuir loin, ne plus chercher à comprendre, ne plus chercher à m'améliorer. Combien de fois j'ai voulu mourir pour ne plus me prendre la tête avec tout cela. Je dois me battre sur tous les fronts, assumer ma vie, mon histoire, reconstruire mon être, essayer d'évoluer dans le monde du travail, être un support de rapport pour l'audience ! Y a intérêt qu'il y ait un putain de bonheur dans le pré, après tout ça !

Je suis venue chez Fanny pour me libérer de mon passé et tout particulièrement des viols et de leurs conséquences. Bizarrement je n'arrive pas à aborder ce sujet. Maintes fois, je me suis dit en arrivant chez elle : « Allez, aujourd'hui, tu parles de tes viols ! » Or, elle connaît seulement les grandes lignes. Une fois devant elle, c'est toujours autre chose qui sortait de ma bouche. Une relation très forte s'est installée entre nous, mais j'ai encore trop honte pour en parler. J'ai peur aussi du regard qu'elle me renverra et peur de la décevoir par mes frasques du passé. Je sens aussi que la parole ne me suffira pas pour vider mon sac et éteindre ce volcan qui me brûle depuis tant d'années. Je ne veux pas que tout soit exprimé, éclairci, compris et dissous dans le bureau de Fanny. Je veux laisser une trace.

Le soir, dans mon lit, l'idée d'écrire un livre mûrit tranquillement. Un livre où je pourrais retracer mon histoire, expliquer à tous mes proches par quoi je suis passée et fermer leur gueule à tous ceux qui n'ont pas cru en moi. C'est trop grave, je ne dois pas me taire. Ce serait trop facile. À cette époque, je suis tellement bouffée par ma soif de justice et de reconnaissance que je voudrais que la terre entière soit au courant de ce que j'ai vécu. On ne parle pas encore des « tournantes » dans les médias à ce moment-là. La psy qui a établi le rapport a compris cet appel et me propose de passer dans une émission de télévision à grande écoute qui a pour thème « Peut-on vivre après un viol ? ». Je dois venir témoigner de mon calvaire. Je suis donc contactée par une journaliste qui prépare l'émission pour l'animateur/producteur. J'accepte de la rencontrer mais je mets sous réserve mon accord pour passer à la télévision. Je souhaite d'abord en parler avec Fanny. Je connais l'émission pour l'avoir souvent regardée. C'est intéressant mais je m'interroge. Quelle image vais-je donner ? Vais-je supporter après coup les regards des gens de mon quartier ? Que m'apportera cette émission ? Me sentirai-je mieux après avoir explosé à la télé ? C'est encore tellement gros, tellement lourd dans mon cœur que je risque plus d'exploser que de parler. Je vais le rendre ouf le psycho-présentateur.

La journaliste me fait venir dans les studios pour me travailler un peu au corps et me faire lâcher ma réserve. Elle est jeune, peut-être plus que moi. C'est la Parisienne typiquement « tendance » comme on dit ! Ce mot me fait délirer. Malgré notre jeunesse commune, nous sommes dans deux mondes diamétralement opposés. Je lui fais découvrir le mien. Elle le commente de questions du genre : « Qu'est-ce que tu as ressenti à ce moment-là ? Comment tu as réagi ? Pourquoi ci, pourquoi ça ? » Je me sens de plus en plus mal à l'aise et me pose mille questions. Je ne les aime pas, elles ne me respectent pas, elles m'agressent. Pendant l'entretien, elle me « conseille » de ne pas parler des « tournantes », de la réalité des cités, du procès loupé, de l'association d'aide à l'enfance qui n'aide personne, car cela risquerait de choquer les téléspectateurs. Elle ne veut pas non plus qu'on mentionne mes déboires avec l'avocate. Je commence à me demander pourquoi je suis là. Certes, j'ai envie de témoigner devant la France entière, mais pas à n'importe quelles conditions et je ne sens pas cette journaliste. Je n'ai pas confiance en elle. On m'a sollicitée en fait parce qu'une autre jeune fille s'est décommandée au dernier moment. Ils ont remplacé un pion par un autre sur leur échiquier de merde ! Je m'interroge aussi sur l'état dans lequel je serai après ce témoignage. Cette question n'entre pas dans les préoccupations de la journaliste.

Au fond de moi, je sens que je ne suis pas assez forte, pas encore assez reconstruite pour faire face à une telle situation. Je n'ai pas envie de montrer une image de moi larmoyante, pitoyable et pathétique. Je désire me protéger. C'est la première fois que je ressens cela, et c'est un bon point pour le respect de moi-même. Il y a un autre aspect qui me gêne. C'est une émission à grande audience, animée par un présentateur connu, qui gagne beaucoup d'argent avec ses émissions. Il se fait du fric sur le malheur des autres, c'est un bon créneau ! Mon point de vue est peut-être choquant, mais je trouve que si quelqu'un doit se faire du fric avec mon histoire, c'est moi et personne d'autre. En tout cas, pas cet animateur, qui n'a rien à foutre de ce qui m'est arrivé. Sa seule préoccupation à lui, c'est l'audimat.

Le pompon, c'est quand elle me demande si elle peut venir filmer ma famille, mes cours de théâtre, mes séances avec Fanny. Elle commence à me soûler grave, cette relou. Je ne le lui dis pas, pour ne pas passer pour une sauvage. Elle ne comprendrait pas, de toute façon, elle est trop dans son délire. Sincèrement, je ne me vois pas, une caméra collée au cul, en train d'expliquer la triste vie d'une minette de banlieue. Alors, elle me dit qu'on va me maquiller, me coiffer, que je vais être super jolie! Elle croit sans doute me faire kiffer avec des « propositions alléchantes ». Elle me prend vraiment pour une truffe!

En sortant du studio, j'ai la désagréable impression d'avoir été prise pour une bête de foire. Je me hâte de prendre rendez-vous avec Fanny et je lui raconte tout cela. Elle est très en colère. Elle n'apprécie pas que sa collègue ne l'ait pas appelée avant de me proposer un truc pareil. Par ailleurs, elle n'a pas besoin de ce genre de publicité pour faire marcher son cabinet. Enfin, il n'est pas question que cette psychologue et les médias récupèrent et sabotent le travail psychologique qui a été fait depuis trois ans. Elle pense qu'une expérience comme celle-ci peut chambouler toutes les fondations encore fragiles que nous avons mises en place. Cela peut me faire beaucoup plus de mal que de bien. Elle ne souhaite pas me ramasser complètement brisée de cette expérience. « Si ton envie de témoigner est si forte, écris ton livre! » me dit-elle.

La colère de Fanny et ses arguments me réveillent grave. Je reviens dans mes godasses aussi sec. C'est rassurant! Mes doutes et mes questions avaient bien lieu d'être et Fanny m'a encore une fois guidée sur une voie sensée. Je rappelle donc cette journaliste pour décliner son invitation et lui expliquer mes raisons. Elle n'est pas très contente.

« Oh! C'est pas très gentil! Tu es la seconde qui se décommande au dernier moment! J'ai plus de témoin maintenant.

— Ben, ouais! »

C'est un « ouais » vide et creux. Je ne vois pas ce que je peux dire d'autre.

« Tu ne veux pas faire un effort? Je t'assure, tout se passera bien. Un taxi viendra te chercher, ensuite il y aura un buffet avec des gâteaux et des boissons, ensuite, on te maquillera, on te coiffera, ce sera très agréable. Tu verras, Jean-Luc est super gentil! À la fin de l'émission, on te ramènera également en taxi... Tu ne te rends pas compte qu'en ne venant pas, tu mets tout le monde dans la merde et blablabli et blablabla! »

Houa! Ça me fait une super belle jambe qu'il soit super gentil Jean-Luc! Elle n'a rien écouté, rien compris de mes raisons. Elle veut juste boucler son émission, c'est tout ce qui l'intéresse. Trouver des témoins pour faire pleurer dans les chaumières. « Écoutez! Je n'ai rien promis du tout! Je vous ai dit que je consulterai d'abord ma psychologue avant de prendre une décision. Je ne me sens pas prête à affronter tout cela. Vous savez, le lendemain de l'enregistrement, j'ai une audience à la cour d'appel de Versailles et cela fait beaucoup trop pour moi. Autre chose : avez-

284

vous pensé à l'état dans lequel je serai après l'émission ? Qui me ramassera ? Sûrement pas vous ! »

Je voudrais témoigner intelligemment. Il n'est pas question de me mettre en danger. La télé, c'est du spectacle avant tout. Ai-je envie d'être croquée à la sauce voyeur ? La journaliste a voulu m'endormir avec ses paillettes et ses projecteurs. Elle pensait que je kiffais de passer à la télévision. Elle m'a vraiment prise pour une gougoune. Ce n'est pas de la pitié que je veux susciter, c'est une prise de conscience. L'émission se fera sans moi.

Cette expérience me donne une envie grandissante d'écrire ce livre. Chaque mot sera choisi, bien réfléchi, bien mûri. Ce livre aura le poids de ce que j'ai vécu, la valeur de mes réflexions et de ma rage de m'en sortir. Ce livre laissera la trace ineffaçable de mon vécu, et je pourrai enfin ranger mon histoire sur l'étagère d'une bibliothèque.

23

« *Avant tout, je vous remercie,*
madame la présidente... »

Aujourd'hui est un grand jour pour moi. J'ai rendez-vous à la cour d'appel de Versailles. C'est le dernier round. Je suis accompagnée de ma mère et de ma dernière petite sœur, qui manque l'école ce jour-là pour me soutenir. Beaucoup de choses ont changé à la maison. Mes parents ont divorcé. Ma mère a enfin réussi à obtenir le divorce qu'elle réclamait depuis très longtemps et l'ambiance à la maison n'est plus la même. L'atmosphère lourde, étouffante qui y régnait a fait place au soleil que ma mère cachait dans son cœur.

Mon problème a pu devenir un problème familial et nous en parlons ouvertement. Mes petites sœurs essaient de comprendre et de me soutenir. Elles ont réussi leur scolarité malgré toutes les difficultés familiales. Ces années ont été dures pour elles aussi. Je me suis réveillée calme, ce matin. J'ai essayé de ne pas emballer mon mental par des millions de questions. Je me suis juste répété mentalement un petit speech, au cas où le président m'autoriserait à parler pendant l'audience Pour l'avocat, « c'est improbable, mais... ». Ce petit « mais » me dit que tout est possible.

Mon nom est accroché sur la porte de la salle d'audience. « Ça y est, Sam, on y est! Ça fait combien de temps que tu galères? Combien d'années que tu attends ce moment? » Treize ans, tout rond. Aujourd'hui, tu vas pouvoir tourner la page sur ces treize années. Sois courageuse, calme, dis ce que tu as à dire, si tu le peux, et surtout ne pleure pas! Voilà les pensées qui m'animent dans cet instant tellement attendu. Fanny est là aussi. Elle n'approuve pas la démarche de ma mère et toutes ses conséquences, mais elle a tenu à venir me soutenir quand même.

Je m'efforce de rester calme en attendant mon tour. Je n'ai pas fumé de joint ce matin, je veux avoir les idées claires. Seuls l'avocat et moi sommes autorisés à entrer dans la salle d'audience. En attendant notre tour, j'observe le jury, qui n'est composé que de femmes. Cela va-t-il jouer en ma faveur? Je n'en sais rien. Je n'ai pas eu de chance avec les deux femmes qui m'ont représentée jusqu'à présent. J'entends mon nom, c'est notre tour. L'avocat me regarde et me fait un sourire pour me marquer son soutien. Nous avançons tous les deux dans l'arène. Normalement, lorsqu'une affaire est plaidée en cour d'appel, seuls le président, ses assesseurs et l'avocat ont le droit de débattre.

Avant de commencer les réquisitoires, contre toute attente, la présidente me demande si je souhaite intervenir avant le réquisitoire de l'avocat. Je réponds que je préfère le faire après. Ma prière a été entendue, je pourrai parler. Pendant le réquisitoire, j'écoute attentivement ce qui se dit. Je ne peux m'empêcher de pleurer quand j'entends le récit de ma vie. L'avocat, avec des mots simples, sait décrire mon long tunnel. Il décrit avec justesse et précision toutes les étapes de ma vie. Lui, au moins, ne se fout pas de ma gueule. Ensuite, c'est mon tour, je vais conclure. Je remercie la présidente de m'autoriser à parler. Puis, je me jette à l'eau.

« Avant tout, je vous remercie, madame la présidente, de me donner la parole. J'ai tout à fait conscience qu'aujourd'hui, il n'est pas question de refaire un procès. J'avais quatorze ans quand les faits sont arrivés, j'en ai vingt-sept aujourd'hui. Ces treize années ont été longues et douloureuses. J'ai entamé une psychothérapie depuis trois ans pour essayer de me libérer de mon passé et d'être un peu heureuse. Je pense être sur la bonne voie. J'ai envie d'oublier tout cela et de recommencer une nouvelle vie. Je vous prie de m'excuser pour mes larmes, mais je suis bouleversée d'être ici. Aujourd'hui, je fais des tas de projets dont celui, notamment, de passer un diplôme d'animatrice. J'aimerais animer un atelier artistique. J'ai plein d'autres projets que j'aimerais mener à terme. J'espère que votre compréhension me soutiendra. Encore une fois, je vous remercie beaucoup de m'avoir donné la parole. »

J'arrête là ! Mes larmes ont inondé mon visage et je suis trop émue pour continuer. Je crois que je n'ai plus rien à dire. Je pense avoir tout dit. Pas dans le bon ordre, mais ce n'est pas grave. Je croyais que la grosse boule de chagrin qui grouille dans mon ventre allait enfin sortir. Je pensais que peut-être elle allait exploser, jaillir de ma bouche, comme j'en rêve depuis la nuit des temps. Non, rien de ce genre ne s'est produit. En tout cas, je suis fière de moi, d'avoir pu surmonter ma peur et contrôler mes émotions. Ce n'était pas facile de parler devant tous ces gens et de résumer des années de galère en cinq minutes. Je suis contente de ne pas avoir pleuré sur mon sort et d'avoir privilégié les aspects positifs de ma reconstruction. Il faut maintenant attendre le délibéré qui aura lieu dans plusieurs mois. J'ai attendu dix ans, je ne suis pas à quelques mois près. Quel tortionnaire que cette machine Justice !

Après avoir démissionné de mon boulot, glandé un peu en fumant des pétards et pris des vacances à Mykonos, je m'inscris dans une formation à Montreuil pour préparer un diplôme d'animation. Quelque temps auparavant, j'avais parlé de ce projet à ma responsable du centre à La Plaine, qui m'avait ri au nez. Attends, cocotte! L'année dernière, j'avais le nez dans le procès, mais cette année, je vais te montrer de quoi je suis capable et je vais obtenir ce diplôme, qui ne sera que le début d'une longue suite de projets. Merci de m'avoir ri au nez. Tu me stimules! Enfin, un beau matin, le téléphone sonne. C'est mon avocat.

«Je suis heureux de t'annoncer une bonne nouvelle, Sam, tu as gagné ton procès, et l'aide aux victimes t'octroie une indemnité de cent mille francs.

— C'est vrai, j'ai gagné? Ils m'ont crue?

— Tu sais, le jour du procès, j'ai bien senti que la présidente avait été très sensible à ton histoire. Je ne voulais pas te donner de faux espoirs. Tu as été très bien, ce jour-là! C'est très bien, ce que tu as dit, vraiment. Bon, je vais me dépêcher de faire le nécessaire pour que tu aies le chèque le plus vite possible. Offre-toi ce beau voyage dont tu m'as tant parlé!

— C'est clair! C'est ce que je vais faire. Ah, au fait! En ce qui concerne vos honoraires, comment ça se passe? Je prends rendez-vous pour en discuter?

— J'ai été très content de te rencontrer et de participer à cette action, mais je préfère que tu gardes cet argent pour mettre à profit tout ce que tu n'as pas pu faire quand tu étais plus jeune, comme tu me l'as dit. Ce que tu as vécu a été pénible et très douloureux et tu as été particulièrement courageuse. Aujourd'hui, tu as droit à la paix. »

Je ne m'attendais vraiment pas à un geste aussi généreux. Je reste un moment interloquée, et c'est la voix voilée par l'émotion que je réponds.

« Je vous remercie du plus profond de mon cœur.

— Je te souhaite bonne chance, Sam !

— Merci, merci beaucoup pour tout. Vous n'étiez pas obligé et vous avez pris de votre temps. Merci !

— Bon, ben, on se voit cet été à Mykonos ? me dit-il, comme si j'étais son pote depuis toujours.

— OK, à Mykonos et encore une fois, merci ! »

Bon anniversaire, Sam ! J'ai vingt-sept ans aujourd'hui, tu parles d'un cadeau d'anniversaire ! J'ai gagné mon procès ! Bon, maintenant, il s'agit de se mettre à ce diplôme. L'échec de La Plaine-Saint-Denis m'a sérieusement refroidie et j'ai du mal à m'y remettre. C'est chaud, pour moi ! Rester assise, écrire, écouter, c'est loin, tout ça ! Je passe les sélections avec succès et je commence ma formation d'animatrice à Montreuil. L'année s'annonce bien pour moi. J'ai réussi la sélection, j'ai gagné mon procès et j'ai l'intention de passer l'an 2000 à New York. Tout baigne !

Un soir, après le stage, en rentrant chez moi par le RER, j'ai le malheur de vouloir speeder, comme tous les gens pressés qui rentrent du bureau. Je cours pour entrer dans le wagon avant que les portes ne se ferment. Je perds l'équilibre, me tords la cheville et m'effondre à plat ventre devant les pieds d'un keuf en uniforme. J'ai tellement honte de ma cascade que je vais m'asseoir dans un coin pour faire le constat des dégâts. Ma cheville est toute gonflée et elle commence à me lancer grave. J'ai tellement mal que j'en pleurerais, mais je me retiens. La honte ! Je rentre chez moi sur un pied, ce qui est un exercice assez sportif. Arrivée chez moi, j'enlève ma basket et je constate avec horreur que ma cheville s'est transformée en tronc d'arbre de toutes les couleurs. J'essaye de penser que ce n'est pas grave et j'appelle un ami pour m'emmener à l'hôpital. Diagnostic : plâtre et trois mois d'arrêt de travail.

Non ! Ce n'est pas possible d'avoir une telle guigne ! Qu'est-ce qui se passe ? Tous les dieux de la terre se sont donné le mot pour s'acharner sur moi ! Je voudrais bien me mettre en colère, mais contre qui ? Contre le dieu du RER, contre le dieu des gens pressés, ou contre le dieu des Pierre Richard ? Adieu les USA, adieu New York ! Adieu, mes vacances de rêve !

J'essaie de négocier autre chose qu'un plâtre J'explique au docteur que je viens juste de commencer une formation, que je ne peux pas me mettre en arrêt. Je lui explique que c'est un challenge que je veux réussir à tout prix. Rien n'y fait, je n'ai pas d'autre choix. C'est une formation qui dure six mois, une formation accélérée. Il me reste trois mois pour emmagasiner les connaissances et pour donner le meilleur de moi-même. C'est un pari que je veux gagner. Les copains du stage sont compréhensifs, ils se relaient pour m'apporter les cours. Ainsi, je peux travailler chez moi.

À la fin de ma convalescence, je déboule au stage comme une boule de billard sur un tapis vert. Je suis gonflée à bloc pour rattraper le retard accumulé. J'ai plusieurs validations à obtenir. Je dois d'abord être évaluée sur mes aptitudes artistiques, ensuite sur mes compétences pédagogiques avec les enfants du centre de loisirs. Je dois encore passer un brevet de secouriste, puis réussir l'examen final comportant un mémoire à rédiger. Je m'inquiète beaucoup pour le premier examen, car je n'ai aucune réelle formation de peinture, ni pratique, ni théorique. Je ne fréquente pas les expositions, comme le font mes collegues, et je ne sais rien de l'histoire de l'art. Par contre, je peins à l'instinct. Je bidouille, mais avec tout mon cœur. Mon BEP d'art déco compte pour du beurre, à côté des connaissances qu'ont les autres. À mon grand étonnement, j'obtiens ma première validation, ce qui signifie qu'on reconnaît mes aptitudes artistiques. Encouragée, je me promets que plus tard je comblerai mes lacunes culturelles.

Pour la seconde épreuve, je dois montrer mes compétences avec un groupe d'enfants. Le centre où je suis en stage monte un spectacle, depuis le début de l'année, sur le thème des « musiques du siècle », avec de la danse et du théâtre. Chaque tranche d'âge participe à ce projet et le spectacle sera présenté aux parents en fin d'année. Je prends plusieurs responsabilités dans le spectacle. Je monte un atelier de jeux autour du théâtre pour préparer les enfants à être plus à l'aise en scène. Je confectionne des costumes, je fais office de régisseuse et je mets au point, avec une autre animatrice, la chorégraphie finale. Le responsable apprécie mon travail et mes idées. Je me sens valorisée et débordante d'énergie. J'ai un réel plaisir à créer et à animer. Je me rends compte aussi que je suis capable de me concentrer, d'être compétente et d'aller au bout des choses. Enfin, pour la validation de l'animation, j'organise un concours d'affiches pour le spectacle. Le gagnant verra son affiche utilisée pour annoncer la pièce. Les examinateurs viennent m'évaluer dans cette activité. Je suis jugée sur ma façon d'animer, de motiver et de gérer un groupe d'enfants. Je n'en mène pas large, j'ai deux de tension !

J'obtiens la validation de cette épreuve. C'est grandiose ! Je réussis sans difficulté le brevet de secouriste, il ne me reste plus que l'examen final. J'ai un mémoire à écrire. Ça ne va pas être de la tarte, moi qui n'ai jamais écrit de ma vie. Je dois pondre cinquante pages pour expliquer pourquoi j'ai choisi la carrière d'animatrice. Je bosse jour et nuit pour rendre mon mémoire dans les délais, avec la contribution d'Insaf. Je suis tellement occupée que je ne vois pas le temps passer et le jour des résultats de l'examen arrive sans que je m'en aperçoive.

« Sur la vie d'ta mère ! » C'est sorti de ma bouche, sans que j'aie le temps de le retenir. Le formateur vient de m'annoncer que je suis reçue. Je n'y crois pas, je suis folle de joie. J'ai réussi mon challenge, je suis allée jusqu'au bout, malgré le handicap de départ ! Ce n'est pas un diplôme très balèze, mais c'est totalement inespéré pour la petite caillera qui n'écoutait rien en cours. La satisfaction de soi, quel sentiment délicieux ! Je déborde d'une joie intense. Les jours qui suivent cette nouvelle, je baigne dans une sorte de contentement jubilatoire. Je n'ai jamais connu cette sorte d'émotion. Procès gagné. Diplôme en poche. Qu'est-ce qui pourrait m'empêcher de sourire à la vie ?

Contre toute attente, ces réussites — le procès, le diplôme obtenu, et les quelques petits zéros qui garnissent mon compte en banque — ne me donnent pas le bonheur. Je fais le douloureux constat que le procès ne m'a pas rendu ma dignité. Mon mal-être est toujours là. Ma boule de chagrin aussi. Elle a rétréci, certes, mais elle est toujours là, à grouiller dans mon ventre. Elle résiste, au milieu de mon bonheur. Elle fait tache, elle gêne, elle m'empêche d'aller de l'avant. Fanny n'aurait-elle pas encore raison ? Elle m'a laissé chercher. Elle m'a laissé faire mes expériences. J'ai essayé plusieurs portes de sortie. Elles n'étaient pas les bonnes ou, tout au moins, elles n'étaient pas suffisantes. Je sais maintenant quelle sera la porte qui peut vraiment m'amener la délivrance. Ma délivrance sera un livre.

ÉPILOGUE
Mon livre

Il est quatre heures du matin. Je viens d'écrire la dernière phrase de mon manuscrit. J'ose à peine y croire. J'ai réussi à aller au bout de ce rêve, j'ai écrit mon livre. Je pensais que seuls les gens très cultivés étaient capables d'écrire un bouquin et je l'ai fait, moi, la petite caillera de cité. Je suis tellement excitée que j'ai envie de descendre dans la rue, de courir réveiller le quartier, de sonner aux portes, aux interphones, de grimper jusqu'aux fenêtres et de cogner aux carreaux pour annoncer aux dormeurs : « Eh ! Tu sais quoi ? J'viens d'finir mon livre ! »

Je voudrais ameuter tout Paris, crier à tous la joie immense qui m'envahit. Je voudrais partager avec quelqu'un ce moment de délivrance. J'ouvre la fenêtre, la nuit est profonde. Tout est silencieux. Pas un chat dehors. C'est la douche froide ! Assise dans mon fauteuil, enveloppée de silence, je me laisse aller en arrière. Je suis envahie par une bouffée d'émotion. Tout se bouscule, tout bascule. Des larmes coulent sur mon visage, je ne cherche pas à les essuyer, je les laisse vivre sur ma joue. Ce sont des larmes de soulagement, des larmes de délivrance. Elles me font du bien. Un très court instant, j'entre dans un vide. J'y suis délicieusement bien. Sérénité absolue. Sensation inoubliable.

Je regarde le gros bloc de feuilles sur le bureau et j'ai du mal à réaliser que j'ai été capable d'accomplir cet énorme travail d'écriture et de réflexion. Capable de mener à bien cette aventure : extirper de ma mémoire et de mes tripes cette lourde histoire douloureusement retenue. Il fallait toutes ces années de reconstruction pour que je puisse supporter de livrer le récit de ma vie sans me démolir. C'est lorsque j'ai annoncé la nouvelle de la fin de mon livre à Fanny que j'ai davantage pris conscience de ce que cela signifiait. Comme toujours, mon corps a parlé. J'ai senti une grosse bulle d'air sortir de mon ventre, puis de ma bouche. Ma voix était sourde et ma mâchoire douloureuse. Puis les larmes sont sorties. Une sensation de soulagement m'a envahie. Alors, ça y est, tout est donc fini, tout est dit, tout est enterré ?

Mon sac à souffrance ne pèse plus sur moi, il pèse maintenant deux cents pages, posées sur la table, à côté de moi. Je sens que je vais avoir besoin de temps pour vivre avec cette nouvelle réalité. Ce putain de sac me faisait horriblement souffrir, mais je m'y étais habituée. Il était une deuxième peau qui me protégeait, ma carapace. Il faisait partie de moi. Sans lui, je me sens fragile, toute neuve. Je n'ai plus l'excuse de l'inconscience non plus. Je sais ce que je fais et à ce titre, j'appréhende la vie qui m'attend. Je suis encore un petit canard boiteux qui déboule dans un nouvel univers, la « vraie vie », et qui a à apprendre la confiance dans son destin.

Je ne voulais pas que mon histoire reste au secret, dans le bureau de Fanny. Pour sortir de mon malheur, il m'a fallu des années d'efforts et beaucoup de souffrance. Serait-il juste que les responsables de ce gâchis dorment tranquilles ? Que K. et ses potes, que l'avocate, que l'association et les services sociaux, que mes parents eux aussi dorment tranquilles ? Ce serait trop facile pour tous que je me taise, que je parvienne à être heureuse, que je fasse des enfants et qu'on n'en parle plus ! Non, je veux partager la facture. Il n'y a pas de raison que je la paye seule. Puisqu'on n'a jamais voulu m'écouter, on va me lire ! Je veux que tous se prennent en pleine gueule ce que j'ai enduré tout au long de ces années de plomb. Je veux que chacune de mes émotions les transperce, comme j'ai été transpercée par leur bêtise.

Je ne veux pas me venger. Il y a bien longtemps que ce désir m'a quittée. Je veux juste que chacun sache la part qu'il a eue dans mon cauchemar. J'ai été sincère, j'ai été lucide, le plus que j'ai pu. J'ai voulu montrer à quel point la négligence de ma famille, de mon entourage, de l'avocate et des services sociaux m'a déglinguée, en plus des traumatismes des viols. C'est de ma propre vérité qu'il s'agit dans ce livre. Et si je n'ai pas pris en compte la vérité des autres, c'est tout simplement parce que ça n'était pas mon objectif. J'ai été sans concession. Sans concession envers mes parents notamment, et je sais qu'il y aura un prix à payer. Peut-être me tourneront-ils le dos à tout jamais. Je suis prête à en prendre le risque.

Au cours de ma thérapie, je me suis retrouvée face à une porte. C'était la porte qui m'ouvrait la compréhension de l'attitude de mes parents. J'ai ouvert cette porte et y ai fait un pas. J'y ai découvert leur souffrance. Elle était si grande qu'ils ne pouvaient même pas y faire face. Ensuite, j'ai voulu tenter un deuxième pas pour aller plus loin vers eux. Là, j'ai compris que l'effort ne devait pas venir que de moi. J'avais fait ma part du chemin. J'ai dû prendre la décision de refermer cette porte et de sauver ma peau, seule. Cette décision a été terrible pour moi, car je devais faire le deuil d'un rêve, celui d'une bonne relation avec ma famille.

Le procès n'avait pas suffi à me libérer. On m'avait écoutée, on m'avait reconnue certes.

On m'avait même donné dix briques. L'histoire aurait pu s'arrêter là. Je pouvais me contenter de mon diplôme et de ces dix boules et commencer une nouvelle vie. J'ai compris que je ne pouvais y accéder qu'après avoir totalement vidé mon sac. C'est seulement à ce prix que je pouvais retrouver ma dignité. Ma route, ma légende personnelle à moi, c'était mon livre. Lors d'une consultation, Fanny a senti que c'était le moment de me présenter à Josée. Elle m'avait déjà parlé d'elle, lorsque je lui avais soumis mon désir de faire un livre. Il me fallait quelqu'un de solide, capable d'être en phase avec le travail de Fanny. C'est ce que j'ai trouvé. Je lui ai montré les quelques pages rapidement écrites en Belgique. Elle décida que c'était à moi seule d'écrire et qu'elle se chargerait de restructurer mes textes et d'en reprendre la forme. Elle m'assura qu'elle me soutiendrait tout au long de l'écriture, par ses questions, ses confrontations et ses encouragements.

J'ai tout de suite fait confiance à Josée et, sans me poser de questions, j'ai plongé dans mon abîme d'eaux troubles. J'ai passé des journées entières à gratter le papier pour tenter de comprendre mon cauchemar et ses conséquences. Au fur et à mesure que j'écrivais, les souvenirs douloureux remontaient à la surface. Les réflexions qu'ils entraînaient faisaient réagir mon corps, comme lors de ma thérapie avec Fanny.

Chaque semaine, quand j'écrivais, mon corps se faisait entendre. Je ressentais une sensation de pression très forte au niveau de la gorge et de la mâchoire. Comme si des mains invisibles tentaient de m'étrangler. C'était les mots et les émotions prisonniers de ma gorge qui avaient besoin d'être libérés. Mon ventre se rappelait à moi, ma colonne vertébrale et ma boule d'angoisse aussi. Quand je prenais la plume, c'était chaque fois ce cortège de douleurs qui m'accompagnait et ne me lâchait qu'à la fin du processus habituel. Lorsque tout avait été extirpé et écrit, clarifié par le regard de Josée, réfléchi de nouveau puis, enfin, digéré et intégré. Ensuite, tout recommençait, alimenté par de nouveaux éléments. Il a fallu installer du temps pour que les choses mûrissent en moi et toutes ces étapes avaient leur sens.

Progressivement, tout s'est délié et s'est remis en place, comme un puzzle que l'on reconstitue. J'ai retrouvé la mémoire et j'ai pu replacer des passages de ma vie que je ne situais pas dans le temps. J'ai ressorti des souvenirs terribles que j'avais occultés. Souvenirs auxquels j'ai donné un nouveau sens, à la lumière de mon évolution actuelle. Je me suis consacrée totalement au livre pendant toute une année et il m'aurait été impossible de m'investir ailleurs, dans un travail, par exemple. Pour ne pas être complètement engloutie par l'écriture et la réflexion, j'ai dû apprendre à gérer mes pensées, à me vider, à me détendre Faire la cuisine, lire m'ont sortie de l'obsession.

Chaque semaine, la présentation de mon travail à Josée était un moment fort. Un moment d'appréhension. J'avais à dépasser la honte de me montrer à nu, dans ma vérité. Son écoute, ses questions et ses réactions ont petit à petit changé ma vision de moi-même, infiltrée pendant si longtemps par celle de mon entourage. Cette vision qui attisait ma culpabilité et ma honte, ma souffrance et ma haine, et cet incroyable sentiment de mériter ce qui m'arrivait. En me rendant mes écrits éclaircis, restructurés et tapés, la prise de conscience s'amplifiait encore. J'existais, et mon malheur aussi. Josée m'a offert un autre regard sur moi-même, un vrai regard auquel j'ai intuitivement fait confiance. Elle m'a reconnue telle que je suis et m'a donné la valeur que je ne parvenais pas à me donner moi-même. À aucun moment elle n'a permis que je me dévalorise. L'intérêt et l'estime qu'elle m'a portés m'ont souvent bouleversée et j'en ai pleuré. Des larmes douces, un baume pour mon cœur meurtri. Des larmes de guérison, un cadeau royal pour l'enfant anéantie que j'ai été. Des larmes qui me font sentir comme un début d'amour pour moi, une timide compassion pour l'héroïne de cette putain d'histoire. La relation entre nous a été très forte. J'ai reçu un soutien permanent, bien au-delà du travail sur le livre. Jusqu'au bout elle a été là, jusqu'au bout elle a cru en moi. Merci.

Grâce au livre, je pense avoir retrouvé une forme de dignité. Auparavant, il ne s'est pas passé un jour sans que je pense à mes humiliations. Je pétais les plombs chaque fois qu'on parlait de viol devant moi. Aujourd'hui, même si j'entends les pires conneries sur le sujet, je garde mon calme. Je laisse les gens à leur bêtise. Je ne me considère plus comme Sam la « racaille » ou Sam la « violée », je ne me présente plus comme telle. Ce passeport a pourtant été ma seule façon d'exister, pendant des années. Je ne me définissais jamais autrement que par mon malheur. Je n'ai plus à utiliser ma carte d'identité de victime, j'existe maintenant autrement. Je suis Samira, j'ai vingt-neuf ans. Je crois en la vie et j'aspire au bonheur. J'ai fait ce que j'avais à faire pour en être capable.

Postface

Lorsque mon livre est sorti, je n'avais pas la prétention d'arrêter les viols collectifs. Ça se saurait s'il suffisait d'écrire un livre pour stopper des violences de cette nature ! Je voulais juste briser la loi du silence et susciter une prise de conscience chez nos mamans, nos papas, nos frères, nos sœurs, nos voisins, nos voisines, nos cousins et cousines, de Paris comme de province. En fait, j'ai voulu atteindre la société dans son ensemble, briser cette loi du silence qui nous fait tant souffrir et avec laquelle nous avons accepté de vivre depuis trop longtemps.

Au lendemain de ma première apparition dans une émission de télévision, je devais partir travailler aux Franc-Moisins avec mes gamins. Toute la nuit, je m'étais préparée psychologiquement à me confronter au jugement social ; c'est-à-dire à devoir affronter des yeux transformés, pour l'occasion, en sorte de rayons laser, prêts à m'envoyer une charge destructrice fulgurante !

305

Simplement armée de mes lunettes de soleil, je me suis préparée au nouveau combat que je croyais devoir livrer. À ma très grande surprise, les mains anonymes qui se sont tendues vers moi voulaient simplement me serrer très fort. Les regards que l'on m'a lancés surmontaient des sourires emplis de pudeur. Et j'ai entendu bien plus de « bravos ! » que je ne l'avais prévu. À un moment de la journée j'ai croisé un jeune mec : casquette-survêt-basket, typiquement l'un de ceux que les médias nomment « les jeunes caïds de banlieue ». Il me bouscule dans le tram ! Je me dis alors que tous les bras ouverts vers moi et tous les sourires étaient trop beaux ! Je m'apprête déjà à sortir mon « lance-flammes » pour l'incendier en paroles. Mais timidement et discrètement il me dit : « Eh ! T'as parlé mortel hier ! ». J'avoue franchement que l'espace d'une fraction de seconde, je me suis sentie très conne ! Et malheureusement le temps que je réalise, les portes du tram s'étaient déjà refermées. J'ai à peine eu le temps de lui faire un sourire pour le remercier. Parce que, venant d'un de ceux que l'on stigmatise souvent trop vite, cela m'a profondément touché. Une telle remarque m'a donné beaucoup d'espoir.

Et depuis, à chaque fois, toutes ces marques de sympathie spontanées que je reçois me bouleversent. De même que chacune des nombreuses lettres reçues chez mon éditeur m'émeut profondément. Après avoir été si longemps du côté obscur, finalement cette lumière pleine de soutiens me plaît.

Et puis, un jour, lors d'une interview, une journaliste m'a parlé de la Fédération nationale des Maisons des potes ainsi que de sa présidente, Fadela Amara. Je lui ai d'abord rétorqué : « Je suis pas trop associations et s'il s'agit d'apprendre à faire des gâteaux ou à danser aux fêtes de quartier, cela ne m'intéresse pas. » Mais pour une fois dans ma vie, le hasard a bien fait les choses. Quelque temps plus tard, dans ma pile de courrier hebdomadaire, j'ai reçu une documentation sur la fédération, expliquant tout le travail que les filles avaient accompli depuis trois ans. Poussée par la curiosité, je me suis mise à lire la doc. Et là, je me suis aperçue que je n'étais pas seule ou plutôt que je n'étais plus seule. Nos constatations sur la situation des jeunes filles m'apparaissaient identiques : l'amélioration de leur condition et de leur rôle dans la société reste à construire. Et ne parlons pas de la situation des garçons...

Un soir, nous nous sommes donc rassemblées pour un couscous chez Fadela. Tout en discutant de choses et d'autres, elle m'a parlé de la Marche des femmes contre les ghettos et pour l'égalité et des préparatifs en cours, et m'a proposé d'y participer en tant que marraine. J'ai accepté son offre avec beaucoup de plaisir mais aussi avec une immense fierté. La marche, très médiatisée, s'est déroulée pendant un mois et s'est arrêtée dans vingt-trois villes étapes en France. J'ai participé à quelques étapes et cela m'a permis de me rendre compte que beaucoup de femmes et d'hommes s'intéressaient à notre démarche et à son sens. Ce fut aussi beau de voir comment les langues se sont déliées sur notre passage, même si ce qu'elles nous confiaient était imprégné de souffrance de toutes sortes.

Tout cela a continué jusqu'au 8 mars 2003, Journée Internationale de la femme. J'ai alors terminé ce qui n'est qu'une première étape place de la République — tout un symbole — avec toutes mes copines du collectif « Ni putes, ni soumises » à côté de moi. Fadela me tenait fort la main car elle savait combien cette foule m'impressionnait ; il n'y avait pas loin de trente mille personnes !

Toutes prêtes et décidées à relever la tête pour ne plus accepter de vivre avec un soleil noir au-dessus de nous. Toutes prêtes et décidées à essayer d'arrêter la gangrène de souffrance qui ronge nos quartier et nous enferme dans un ghetto mental.

Composition Firmin-Didot.
Impression CPI Bussière
à Saint-Amand (Cher), le 10 août 2010.
Dépôt légal : août 2010.
1er dépôt légal dans la collection : mai 2003.
Numéro d'imprimeur : 102307/1.
ISBN 978-2-07-042990-5./Imprimé en France.